PSICOKILLERS

PSICOKILLERS

Perfiles de los asesinos en serie más famosos de la historia

Juan Antonio Cebrián

nowtilus

Colección: Investigación abierta
www.nowtilus.com

Título: Psicokillers
Subtítulo: Perfiles de los asesinos en serie más famosos de la historia
Autor: Juan Antonio Cebrián

Doña Juana I de Castilla 44, 3º C, 28027 Madrid
www.nowtilus.com

Editor: Santos Rodríguez

ISBN 13: 978-84-9763-409-0
Fecha primera edición: Julio 2007
Fecha segunda edición: Agosto 2011

Printed in Spain
Imprime: Publidisa
Depósito legal: SE-5874-2011

Este libro está dedicado a mis hermanos
y compañeros de la Tertulia Zona Cero:
Carlos Canales, Jesús Callejo y Bruno Cardeñosa,
con ellos sería capaz de explorar
el misterioso infinito y aún más allá.

Índice

Introducción

Bienvenidos queridos lectores a mi quinta obra literaria. Como pueden comprobar, y si no utilicen la imaginación, me encuentro escribiendo estas líneas desde mi despacho estilo victoriano. Sí, ya sé que está algo vetusto y recargado, pero créanme que estos detalles son los que más me gustan. Acabo de apagar el enésimo cigarrillo, luego pasaré a la pipa, pero antes déjenme que les confiese que este es sin duda el libro más extraño al que me he enfrentado.

Todo sucedió en una mañana de hace algunos meses, recuerdo que ese día la temperatura había bajado ostensiblemente, me levanté tarde como siempre, y tras haber pasado la hora de rigor en el baño bajé las escaleras que conducían desde mi dormitorio hasta la cocina –lo mejor para inaugurar una jornada es desayunar a placer lo que el cuerpo pida–. Sin embargo, esa mañana fue distinta, algo estaba a punto de ocurrir y yo permanecía ajeno a ello dando buena cuenta de una tostada cubierta por mermelada de melocotón. Justo en el momento de hincar el diente sobre el pan sonó el teléfono –mi reacción y los improperios que solté será mejor que me los reserve–, cogí el auricular dispuesto a proclamar mi sed de venganza, pero la voz que llegó del otro lado calmó cualquier impulso criminal. Sí amigos, era él, con su voz profunda y entrañable, era él, mi querido amigo Fernando Jiménez del Oso. Este es un extracto de la conversación que se produjo entre los dos:

Fernando: Hola Juan Antonio, ¿te interrumpo?

Juan Antonio: No, no, ¡que alegría!, ¿cómo estás querido Fernando?

F.: Bien. Te llamó porque se me ha ocurrido una cosa.

J.A.: ¿Ah, sí?, ¿y qué es ello? –dije con la habitual ironía simpática utilizada en nuestras conversaciones.

F: Pues que escribas un libro para una colección que estoy preparando.

J.A.: Pero Fernando, un libro, me pillas muy mal, estoy terminando la Cruzada del Sur y me tengo que poner con la segunda entrega de Pasajes de la Historia. Estoy muy agobiado, no me hagas esto.

F.: Ya, pero a mí me gustaría.

J.A.: Y si aceptara ¿qué temática abordaríamos?

F.: No sé, algo de eso que tú haces sobre los psicópatas asesinos. ¿Qué te parece?

J.A.: Bien, pero ten en cuenta que son personajes muy complicados y que será difícil plasmar en papel todo lo que soy capaz de contar verbalmente en la radio.

F.: Estoy convencido que tú lo harás muy bien, de ahí mi llamada. ¿Puedo contar contigo?

J.A.: Sí, Fernando sí, eres único para hacerme entender qué es lo mejor para mí. Cuenta conmigo. ¿Algo más?

F.: Nada más, solo haz lo que tú sabes hacer y entrégalo rápido que Santos, el editor, tiene prisa.

J.A.: Pero si te acabó de decir que sí, cómo puede ser que tenga prisa.

F.: Es que le dije que ibas a decir que sí, ¿me perdonas?

Desde luego que las dotes de seducción de mi amigo Fernando son innatas y poco explotadas, pero conmigo siempre han funcionado. Con presteza prusiana comencé a seleccionar a los especímenes adecuados para confeccionar este trabajo.

Como saben buena parte de los lectores, dirijo hace unos años un programa de radio cuyo nombre es *La Rosa de los Vientos*. En la temporada 2001-2002 aparecieron los *Pasajes del Terror*, hijos ilegítimos y oscuros de los *Pasajes de la Historia*, si no recuerdo mal conté vida y crímenes de treinta y cuatro psicópatas asesinos. La sección fue un auténtico éxito de audiencia con casi trescientos mil oyentes en la noche de los martes. Este espacio se convirtió sin pretenderlo en un lugar de culto para los aficionados al género: caníbales, destripadores, ogros, bestias infernales, estranguladores y sangre, sobre todo mucha sangre, personajes de difícil evaluación. Las mentes más perversas engendradas por humanos. Un cóctel explosivo que saborearon los aterrorizados oyentes nocturnos de onda cero.

He seleccionado quince perfiles que no le dejarán indiferente en su butaca del salón. Por favor procure leer este libro con luz tenue y siempre a solas, lea con detenimiento, disfrute de cada página, notará como al poco algunas sombras empiezan a introducirse por las habitaciones de su casa, no se preocupe, son ellos, y ya no pueden hacer daño a nadie, han pagado sus culpas terrenas en el infierno y ahora sienten curiosidad por todo lo que se escribe o se habla sobre ellos. En el fondo no eran tan malos, pero las circunstancias, las humillaciones, las provocaciones los impulsaron a cometer toda suerte de actos delictivos. Eran psicópatas, pero no enfermos mentales, siempre supieron discernir entre el bien y el mal. ¿Por qué eligieron el lado oscuro de la vida?, supongo que este libro ofrece algunas claves para entender su comportamiento anómalo y antisocial, y si conocemos al enemigo tendremos la oportunidad de combatirlo.

Dicen los expertos en criminología que la infancia es sumamente importante a la hora de moldear nuestra personalidad; según esas mismas investigaciones, existe una tríada homicida que con frecuencia aparece en las pautas de conducta de los niños candidatos a psychokillers. Lo primero sería la micción nocturna en la cama hasta más allá de los doce años, lo segundo la obsesión por infringir daños a los animales domésticos o a los amiguitos y por último una gran atracción hacia el fuego. Como ven son asuntos que todos hemos vivido más o menos de cerca, porque ¿quién no ha provocado alguna vez un pequeño incendio?, ¿quién no ha clavado una mariposa en un cartón o ha metido insectos destripados en un frasco?, ¿quién no se ha hecho pipi alguna vez de pequeño? ¡Caramba!, intuyo que usted está en el grupo. No se sienta culpable, a veces estos pronósticos fallan, no necesariamente tiene que ser un psicópata por cumplir algunos de los requisitos establecidos. Ahora déjenme que atienda una visita inesperada, qué raro, quién podrá llamar a la puerta a estas horas de la madrugada, pero si es Santos, el editor, a lo mejor se ha enfadado porque no entregué el libro a tiempo:

J.A.: Hola Santos, ¿qué haces por aquí? Demonios que mal aspecto presentas, tienes los ojos inyectados en sangre y ese cuchillo. ¡Dios mío!, no lo hagas Santos, piensa en Nowtilus. No, Santos, no…

John Ketch

Inglaterra, (1630 - 1686)

EL VERDUGO CRUEL

Número de víctimas: De 100 a 300 ejecuciones legales.
Frase favorita de Ketch: *"Yo soy el mejor remedio para curar el mal de traición, limpiaré Inglaterra de traidores".*

Durante siglos los verdugos han ejecutado su lúgubre trabajo con la complacencia de una dudosa legalidad. Han sido cientos de miles las víctimas de estos personajes de variado pelaje. Diríase, observando la biografía de alguno de ellos que, posiblemente, nos encontremos ante el perfil de un psicópata. No olvidemos, y en este libro los conoceremos un poco más, que los psicópatas no son, en contra de lo que se pueda pensar, enfermos mentales. El psicópata sabe discernir perfectamente entre el bien y el mal, por eso disfruta mucho más con la consumación de sus terribles actuaciones. En efecto, estos seres abominables son los más peligrosos del catálogo criminal, auténticos embajadores del infierno en la tierra. Sus fechorías, por inusitadas y crueles, conmovieron a la sociedad que los padeció en diferentes épocas.

Richard Jacquet es un fiel ejemplo de ello, su perfil psicológico sin duda cumple los cánones más escrupulosos de la psicopatía universal. Su solo recuerdo hoy en día en el Reino Unido sigue aterrorizando a jóvenes y mayores, los cuales denuncian ante los tribunales a todo aquél que se arriesgue a insultarles llamándolos con cualquier nombre por el que se conoce al verdugo más sanguinario de Inglaterra, en ese sentido: "John o Jack Ketch", "Jack Catch" o el mismo "Richard Jacquet" son insultos considerados más gruesos y humillantes que otros exabruptos comúnmente utilizados. En 1926 un tribunal británico condenó por difamación a un ciudadano que había llamado a otro simplemente "Jack Ketch", eso fue suficiente para que el juez lo condenara a una multa seguida de un pequeño escarmiento popular que consistió en arrojar a un estanque al difamador.

Existiendo en la historia miles de verdugos ¿por qué se hizo tan conocido Richard Jacquet? Momento es para descubrir su horrenda existencia teñida por la sangre de un número indeterminado de pobres ajusticiados. Nunca sabremos cuántos.

Las primeras noticias sobre Richard Jacquet se producen en 1663, hasta entonces nada se supo sobre este hombre marcado por un peculiar aspecto físico. Su cuerpo era diminuto y, en consecuencia, de escaso peso, el rostro horadado por la viruela no disimulaba el odio visceral que manaba de los vivaces ojillos de Jacquet. Sí amigos, Richard odiaba a la humanidad y eso no hay que perderlo de vista. Su pequeño tamaño y las huellas que la enfermedad había dejado en él, provocaban sin duda un pésimo sentimiento hacia esos congéneres que, a buen seguro, se habían mofado de él en la infancia y juventud.

En una época donde religión y superstición iban de la mano, John Ketch se convirtió en un asesino cruel, de quien ni siquiera las brujas con sus supuestas "artes mágicas" pudieron escapar.

El enano Richard comenzó en ese tiempo de su vida a gestar inconscientemente una particular venganza contra la sociedad que le repudiaba. No es de extrañar que se empleara como verdugo de alquiler para realizar algunos trabajillos sin importancia.

En el siglo XVII era muy frecuente que pueblos y ciudades contrataran los servicios de verdugos para los castigos de baja monta: narices amputadas, orejas sesgadas, lenguas arrancadas de cuajo, latigazos y azotes componían la macabra oferta de unos hombres acostumbrados a la sangre y el horror. El oficio de verdugo, como es obvio, estaba mal visto, no obstante, muchos marginales vivían espléndidamente a costa del sufrimiento ajeno. Pocos deseaban pasar a la historia como asesinos, sin embargo, en estos siglos de oprobio algunas familias

El hacha fue la herramienta de trabajo preferida de John Ketch. Dada su baja estatura, jamás la utilizó con facilidad para desgracia de los condenados.

europeas implantaron en su seno la tradición de matar legalmente. Tenemos casos extendidos por buena parte de la geografía europea: Francia, Italia, Alemania o la propia Inglaterra pagaron magníficas sumas a estos negros linajes, lo que les permitió vivir por encima de la media y eso, en el siglo XVII, era vivir muy bien. Además de este importante factor económico, también existía la parte de espectáculo que cada verdugo aportaba.

En el siglo XVII los reos condenados a muerte eran ejecutados siguiendo curiosas y diferentes parafernalias: decapitación, tortura, ahorcamiento, –tengamos en cuenta que los que morían lo hacían por traición a la corona, asesinato, robo...–; es decir, hechos supuestamente terribles que merecían el más severo castigo a fin de ejemplificar en aras a mantener un estricto orden

En aquella época, hombres lobo, brujas y otros seres supuestamente infernales eran los candiatos propicios para pasar bajo la hoja del despiadado Ketch.

social. Por tanto, cuánto más vistosa fuera la ejecución, mayor ejemplo se daba a la sociedad sobre la fortaleza del sistema.

Richard Jacquet desde 1663 se convirtió en el arma más mortífera del gobierno inglés. Sus escandalosas ejecuciones recorrieron el país durante más de veinte años. Los cadalsos donde actuaba eran los más frecuentados por el populacho, nadie se quería perder las payasadas de aquel enano tan sádico y odioso.

En los días previos a la ejecución se podía ver a Richard paseando por las calles de la ciudad que le había contratado anunciando "el distinguido evento". A Jacquet le gustaba la música, él mismo componía dulces cancioncillas donde contaba con profusión las lindezas que iba a cometer próximamente. Se podían escuchar estrofas como esta: "oídme, ha llegado la mejor medicina para la traición, soy John Ketch, el que limpia de traidores a nuestra querida Inglaterra". Así cantaba mientras distraía a la concurrencia con volteretas y saltitos grotescos. No me nieguen que, al margen de las vísceras, era todo un showman.

Cuando llegaba el momento de la verdad, el verdugo pequeñito se enfundaba en unas ajustadísimas mayas negras que solo dejaban al descubierto la reducida cabeza salpicada de viruela. Los condenados contemplaban estupefactos a su futuro ejecutor; sospecho que, más de uno, se fue al otro mundo con una agria mueca de diversión. Y es que no era para menos. La multitud presa del delirio aplaudía cualquier gesto de Richard, este les mostraba sus hachas, cuchillos y cuerdas, utensilios imprescindibles para consumar aquella salvajada. Situaba por ejemplo el filo del hacha sobre la nuca o cuello del condenado sin llegar a cortar la carne, luego se dirigía al vulgo como si aquello fuera un mitin político, el acto se podía prolongar todo lo que el capricho de Jacquet quisiera. Finalmente, con el visto bueno de las autoridades allí presentes, terminaba la sangrienta faena, y esto último llegó a ser un molesto problema, dado que como hemos advertido, Richard Jacquet o John Ketch, no era precisamente una mole humana, sino, todo lo contrario, este asunto fue penoso, pues su pequeño tamaño le impedía asestar golpes de hacha certeros. Por si fuera poco, sus armas no eran de buena calidad, muchas de ellas se encontraban melladas por el mal uso, y eso impedía un correcto afilado. Se pueden ustedes imaginar lo dantesco de aquellas ejecuciones y lo mal que lo debieron pasar los condenados que caían en manos del diminuto verdugo.

Aún así, nuestro personaje consiguió la popularidad necesaria para trabajar sin descanso durante algunos años. Pero a todo cerdo le llega su San Martín.

En 1679 Richard Jacquet alcanzó la cúspide de su infernal gloria cuando masacró en una sola jornada a 30 hombres condenados por traición. Lo hizo sin ayuda, provocando consternación y odio entre los asistentes, los cuales ya no reían las gracias de aquel psicópata convencido. En esos años John Ketch –recordemos que este era su nombre artístico– había diezmado la población de brujas, conspiradores y delincuentes de Inglaterra. Los hierros candentes, las sogas y el acero integraban su especial elenco del horror. Además, su afán por amasar fortuna lo impulsaba a cometer todo tipo de expolios sobre las víctimas llegando a robar los ropajes y las escasas joyas que portaban en ese instante final de sus vidas. John Ketch era un auténtico carroñero humano.

En 1683 aconteció una de sus más famosas anécdotas. En ese año, Lord Russell había sido condenado a muerte por diseñar un plan para secuestrar al rey Carlos II. Conocedor de la terrible fama que rodeaba al patético verdugo, ajustó un precio con este para que realizase el trabajo con precisión quirúrgica. Qué nadie se extrañe, pues esto era práctica habitual en aquella época donde las cabezas nobles rodaban por doquier. En consecuencia, el Lord británico indicó a su secretario particular que entregase a Jacquet diez guineas si el resultado era el convenido. El verdugo cruel aceptó el difícil reto de cortar limpiamente a cambio del dinero. Sin embargo, todo falló una vez más, y tras dar el primer hachazo la cabeza siguió unida al cuerpo de Lord Russell. Este movido por la eterna flema inglesa, volvió su rostro para espetar irónica-

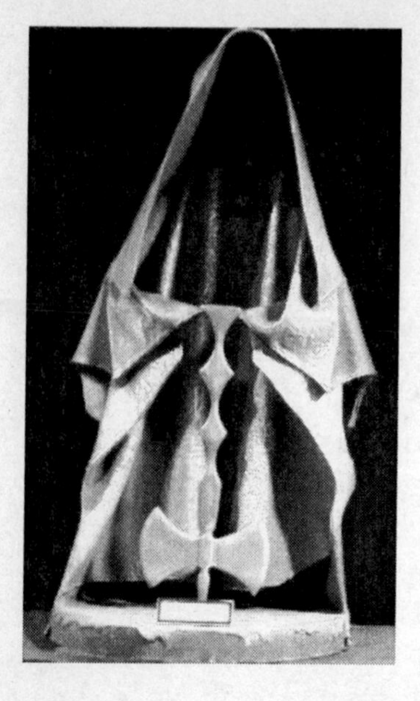

Sin lugar a dudas, todos quienes han oído el nombre de John Ketch, tienen guardada en la memoria la terrible imagen del hacha desdentada, cayendo sobre la víctima.

mente al enano: "Oye, cabrón, ¿te he dado diez guineas para que me trates tan inhumanamente?". Jacquet, sonrojado por la humillación del mal trabajo, tuvo que golpear tres veces más hasta conseguir separar la cabeza del tronco. Fue horrible y sangriento. Casos como este se repitieron constantemente en la vida de Richard Jacquet. En 1685 el duque de Monmouth ofreció seis guineas a Jacquet por idéntico esfuerzo, en esta ocasión fue peor, dado que el noble recibió cinco hachazos y, finalmente, su cuello tuvo que ser cortado con un cuchillo. John Ketch estaba tocando fondo, pocos querían contratarlo y su afición a la bebida le mantenía borracho la mayor parte de los días. En 1686 fue a la cárcel por una deuda; cuando salió del presidio lo celebró matando a golpes a una prostituta, lo que motivó su condena a muerte en noviembre de ese mismo año. El ahorcamiento de Jacquet fue lamentable como su vida. Su escaso peso hizo que estuviera pataleando durante diez minutos hasta morir. Nadie lloró por él, y ahora le sufren en el infierno.

Catherine Hayes

Inglaterra, (finales S. XVII - 1726)

LA CABEZA MISTERIOSA

Número de víctimas: 1

Extracto de la confesión: *"Convencí a Billings y a Wood para que asesinasen a mi marido, era un ateo desalmado y asesino de sus hijos. Yo le emborraché con seis pintas de vino y luego lo mataron a hachazos".*

El asesinato va unido inexorablemente a la condición humana. Durante milenios los criminales han cometido sus fechorías con el morboso anhelo de que estas no les fueran imputadas. En algunos casos fue así, miles de asesinatos perpetrados escaparon a la acción de la justicia, bien, por falta de pruebas, o porque sencillamente, los cadáveres se evaporaron con lo que sus crímenes pasaban a ser perfectos.

La policía desde su creación ha mantenido como primer objetivo la resolución de cualquier caso por complicado que este fuera. En los primeros siglos de su implantación los testigos presenciales o las rotundas confesiones eran la principal baza a la hora de resolver un caso. Posteriormente, la tecnología y los métodos deductivos se mostraron fundamentales para evitar los crímenes perfectos. Hoy en día series televisivas como CSI nos enseñan que las diferentes policías científicas del mundo cuentan con una sofisticada maquinaria que permite descubrir a cualquier asesino por muy previsor que este sea a la hora de ocultar pruebas esenciales que delaten su crimen. Lo único que se precisa es tener a disposición el cuerpo del delito y las circunstancias que rodearon su muerte. Como dice Gil Grisson, el protagonista de la serie anteriormente citada: "no importa lo que usted nos cuente, las pruebas hablarán por usted".

Sin embargo, a principio del siglo XVIII la policía distaba mucho de ser lo que hoy es. En esos tiempos se desconocía la fotografía, el valor de las huellas digitales y los estudios de ADN. En consecuencia, se debían barajar otras técnicas bastante más rudimentarias y no siempre eficaces.

Los policías dieciochescos cultivaban sin duda la perspicacia, la intuición y, sobre todo, el conocimiento exhaustivo de la sociedad a la que debían servir.

Les voy a relatar una historia que nos pone en contacto con los métodos utilizados por la policía londinense en el primer tercio del siglo XVIII.

Corría el 2 de marzo de 1726, Londres era por entonces la metrópoli de un incipiente imperio que se empezaba a extender por todos los continentes. Los orgullosos habitantes de la populosa urbe aprovechaban cualquier rayo de sol para disfrutar de saludables paseos por los bellos parajes que rodeaban la ciudad del Támesis. Precisamente, cerca de este río se produjo en ese día un macabro descubrimiento que alteraría sensiblemente la vida cotidiana de los londinenses.

Trafalgar Square fue uno de los lugares por donde los cuerpos de seguridad británicos desarrollaron esta investigación que parecía destinada al olvido y a la impunidad más absoluta.

En aquella mañana soleada unos vecinos que paseaban por Horse Ferry Wharf se toparon con lo que parecía una cabeza humana. En principio fue difícil esclarecer la deducción, dado que la zona había sido anegada por la lluvia días antes y ahora se presentaba cubierta de barro. No obstante, los viandantes se introdujeron en el lodazal hasta el sitio donde había sido vislumbrada aquella presunta testa. Una vez llegados al punto concreto se incrementó su temor. En efecto, era una cabeza humana y todavía fresca; la sangre aún sin coagular así lo atestiguaba. Con presteza envolvieron el macabro hallazgo en una tela y raudos se dirigieron a la comisaría más próxima. Una vez allí contaron excitados lo que les había sucedido, y para asombro de los presentes, descubrieron el particular tesoro escupido, a buen seguro, por el Támesis.

Junto al Támesis fue hallada la cabeza del asesinado. A partir de ese instante, la policía se puso en marcha y realizó acciones tan "extrañas" como colocar la cabeza para que el público que la observara, pudiera identificar a quién pertenecía... y dio resultado.

Desde luego que aquello era una cabeza humana, pero ¿quién era su dueño?, ¿dónde estaba el resto?

Pronto la policía londinense destinó varios efectivos a la zona del descubrimiento. El propósito no era otro, sino localizar los restos del cadáver a fin de intentar una mejor identificación. No obstante, se contaba con la faz del fiambre y eso facilitaba enormemente las cosas.

En esos años las desapariciones misteriosas eran frecuentes en el Reino Unido: presos huidos de las cárceles, asesinos escondidos de la justicia, ladrones con más prisa que pausa o víctimas ocultadas para siempre por sus verdugos. Lo cierto es que, por entonces, era sumamente fácil escapar de cualquier pena impuesta por los tribunales. Las colonias americanas constituían un auténtico santuario, no solo para inmigrantes económicos o políticos, sino también para delincuentes de toda clase y condición. Por tanto, era frecuente encontrarse con listas interminables de fugitivos de la justicia o simples desaparecidos de los que nada se volvía a saber. Como antes he dicho, los métodos policiacos eran todavía primitivos y el trabajo abundante.

Durante un par de días los policías estuvieron rastreando el lugar donde había sido descubierta la enigmática cabeza. Todo se complicaba por momentos, el cuerpo parecía haberse esfumado y, además, nadie reconocía el rostro de aquel individuo tan extraño. Finalmente, las autoridades decidieron algo extremo, nada menos que clavar la cabeza en una pica para mostrarla a la ciudadanía londinense; quizá esta exposición pública obtuviera los resultados que por el momento no se estaban consiguiendo. Así pues, el cráneo de ojillos vivaces fue empalado frente a Saint Margaret en Westminster. Pronto la noticia circuló por plazas y barrios de la *city*. Cientos de curiosos se acercaron para contemplar los rasgos morfológicos de aquella cabeza que, por cierto, ya empezaba a estar algo pútrida y transfigurada. La imagen como ustedes pueden imaginar, no era muy agradable. Con todo, la policía esperaba que el asesino se aproximara a su víctima. Los guardias que custodiaban los restos humanos tenían ordenes expresas de detener a todo aquél que ofreciera signos evidentes de arrepentimiento o culpabilidad, pero nada de esto se produjo, y los días fueron pasando hasta que una mañana alguien elevó la voz para exclamar: "¡Parece John Hayes!". La frase pasó desapercibida dado que anteriormente muchos habían proferido frases idénticas atribuidas a otros tantos desaparecidos. La policía resignada al no poder descubrir el origen de aquel cadáver, tuvo la delicadeza de refugiar lo que quedaba de cabeza en una tinaja llena de ginebra, así al menos, se podría conservar mientras se seguía buscando la clave de aquel misterio. De ese modo tan artístico, la cabeza fue a parar a una sala olvidada de las dependencias policiales londinenses.

Se pusieron anuncios animando a los ciudadanos denunciantes de alguna desaparición que fueran a inspeccionar la cabeza por si se trataba de algún allegado. Durante días cientos de curiosos se acercaron para ver el cráneo. El policía de turno lo sacaba de la urna a petición del demandante, y tras la negativa en cuanto a su reconocimiento, lo volvía a depositar en la ginebra. Así una y otra vez, lo que convirtió a esta curiosa cabeza en la más embriagada de la historia del crimen. Finalmente, aquel testigo que había creído reconocer en el rostro expuesto al de su vecino John Hayes, pasó a la acción. Y es que

John Hayes fue asesinado en una carpintería, su lugar de trabajo, por unos motivos más que "justificados", claro está para su esposa y asesina.

John Hayes era un carpintero muy popular en su barrio y, curiosamente, su desaparición coincidía con las fechas en las que la cabeza fue descubierta. ¿Sería él?

La respuesta sin duda la podría tener su esposa Catherine Hayes. Hasta entonces esta mujer había dicho que su marido se largó sin mayor explicación. Ella, en un alarde de deducción detectivesca, aseguró sin tapujos que su marido desapareció tras asesinar a dos niños en una excursión campestre; esto no encajaba, dado que las dos criaturas no aparecían, y ni siquiera se había denunciado un hecho similar. Catherine ofreció nuevos pretextos ante la insistencia de los vecinos. Finalmente, las presiones de éstos la obligaron a ir a la comisaría donde se encontraba la cabeza presuntamente reconocida por el amigo de su marido. Catherine temblorosa solicitó la

Junto a Westminster fue empalada la cabeza del finado, un espectáculo público que atrajo a los habitantes de Londres.

izada de testa. El policía acostumbrado al ritual lo realizó casi de forma mecánica, pero en esta ocasión algo trastocó la liturgia, fue la propia Catherine, quien ahogada por la emoción, profirió un agudo chillido seguido de convulsiones y tembleques, entre tanto malestar acertó a decir: "¡Eres tu John, o Díos mío, pero que te han hecho!". Catherine, en la línea de las mejores actrices británicas, se abrazó a la tinaja donde estaba la cabeza de su marido por fin recuperado. Los policías la separaron a duras penas, parecía que aquel caso tan raro comenzaba a encauzarse; pero algo extraño habían visto en la cara de Catherine. La policía, muy acostumbrada a contemplar los rostros de los criminales, vio en el de Catherine rasgos de culpabilidad; puede que fuera tan solo una apreciación poco formal por parte de los inspectores, pero a esas alturas poco se perdía con un interrogatorio en toda regla a la desconsolada viuda. Los eficaces policías utilizaron su agobiante sistema de preguntas desconcertantes. El acoso a la sospechosa dio sus frutos, Catherine confesó el asesinato de su marido John. Para la muerte del carpintero contó con la complicidad de dos individuos llamados Thomas Wood y Thomas Billings, los cuales accedieron a cometer el crimen a cambio de 1.500 libras, suma que presuntamente integraba la herencia de John Hayes. ¿Por qué lo mataron? La explicación efectuada por Catherine no dejaba lugar a dudas; John Hayes era un alcohólico empedernido, sus constantes peleas desembocaban en palizas e insultos que llegaron a ofuscar la mente de Catherine quien no reparó en comentarios terribles sobre su marido para convencer a los dos Thomas sobre lo que tenían que hacer si querían en verdad ayudarla a escapar del infierno familiar. Por ejemplo, les aseguró que John era ateo y asesino de sus dos hijos. En definitiva se intentaba hacer ver que los piadosos criminales mataron a John como favor a la humanidad.

El método empleado no pudo ser más simple. En una noche previa al 2 de marzo de 1726 Catherine suministró al menos seis jarras de vino a su marido mientras este trabajaba en su taller de carpintería. Una vez aturdido por el alcohol, los asesinos lo golpearon con saña hasta que cayó al suelo donde le asestaron múltiples hachazos que acabaron con su vida. A fin de evitar pruebas incriminatorias, le cortaron la cabeza y la escondieron en el sitio de donde fue recuperada. La propia Catherine se encargó de recoger la sangre en un cubo. La posterior confesión llevó a la policía a un lugar llamado Marylebone, paraje en el que fue descubierto el cuerpo descabezado de John. La policía solo tuvo que encajar cabeza y tronco para comprobar que efectivamente aquél cadáver era el de John Hayes.

Toda suerte de rumores comenzaron a circular por Londres, se dijo incluso que aquel asesinato había sido motivado por las relaciones sexuales mantenidas entre Catherine y sus dos compinches; los lógicos celos del carpintero habían provocado el fatal desenlace.

Los tres asesinos fueron condenados a muerte: Thomas Wood y Thomas Billings murieron ahorcados el 9 de mayo de 1726; para Catherine la pena impuesta fue aún más dura, ya que recibió el castigo de morir en la hoguera. La costumbre decía que la condenada debía ser estrangulada antes de soportar las llamas, sin embargo, el verdugo falló, sin llegar a realizar bien su trabajo. Sus manos oprimieron el delgado cuello de Catherine durante unos segundos; tras esto, ella se desmayó dando a entender que ya había fallecido. Para su desgracia no fue así, cuando el chapuza de su verdugo prendió los troncos de la pira Catherine despertó entre alaridos, ya nada se pudo hacer por aquella infeliz que murió pataleando entre el fuego. Nunca sabremos si las maderas que la quemaron provenían de la carpintería de su marido.

El caso quedó cerrado y la misteriosa cabeza descansó al fin junto al resto del cuerpo. La policía londinense utilizó un sistema tan sencillo como eficaz, la exposición pública de la única prueba disponible fue, a la postre, lo que delató a los culpables del asesinato. Y, es que amigos, no hay nada más útil para un policía que enfrentar al asesino y a su víctima cara a cara.

En 1839 William Makepeace Thackeray, el famoso escritor y periodista encontró en esta historia popular británica la suficiente inspiración para crear su primera novela que llevó por título *Catherine: A Story.*

William Burke & William Hare

Escocia, (1792 - 1829) y (1790.- 1860)

LADRONES DE CADÁVERES

Número de víctimas: 17-28

Extracto de la confesión de Hare: *"Observamos a las curdas (víctimas) por las calles de Edimburgo y si nos parecía que nadie iba a advertir su ausencia trabábamos amistad y luego los matábamos para llevárselos al doctor Knox, el cual nunca nos preguntó nada sobre la procedencia de los cuerpos".*

Desde los pretéritos tiempos de Hipócrates, la medicina se ha mantenido en constante y beneficiosa evolución. Hoy en día nuestros cirujanos realizan trabajos que en otros siglos se hubiesen considerados prodigiosos. Sin embargo, el logro de esta perfección no fue fácil sino todo lo contrario. El noble oficio de curar a los demás no siempre obtuvo el reconocimiento de la ciudadanía muy alejada de las consultas médicas por elevados precios que tan solo podían asumir las acomodadas élites burguesas o aristocráticas.

En el siglo XVI la medicina comenzó a popularizarse, eran muchos los que se interesaban por ejercer esta práctica científica y, en consecuencia, aumentaron los docentes y las universidades donde se impartían los conocimientos médicos. A la par que se incrementaba el número de estudiantes, también crecía la evidente necesidad del empirismo académico, es decir, había que demostrar sobre el propio cuerpo humano cómo se distribuían y funcionaban órganos, tejidos y arterias; era, sin duda, la mejor forma de enseñar a los futuros galenos la configuración anatómica del hombre para realizar una posterior y eficaz cura de las enfermedades.

Hasta ese siglo pocos médicos se habían servido de cadáveres diseccionados. Tenemos el famoso ejemplo de Leonardo Da Vinci, quien estudió al menos los cuerpos de unos treinta ajusticiados en el afán de conocer minuciosamente el interior del hombre. En 1540 el rey inglés Enrique VIII concedió licencia a la compañía de Barberos Cirujanos para que pudiesen diseccionar anualmente los cuerpos de cuatro condenados a muerte. En aquella época los reos que acababan sus días en el patíbulo llevaban implícito en su sentencia el ser desmembrados en aras de mejorar las investigaciones médicas. Dos siglos más tarde, el número de cuerpos destinados a la disección se multiplicó por tres. Sin embargo, este auge se vio seriamente alterado cuando en 1788 un juez británico condenó a un médico aficionado a la disección a pagar la bonita suma de diez libras por haber manipulado un cadáver de forma ilegal.

Esta sentencia que declaraba el robo de cadáveres como una falta que podía dar con aquellos que lo hiciesen en la cárcel, sembró de temor las escuelas de medicina. Por entonces, eran cientos los alumnos que pretendían formarse como doctores en las lides médicas. Si tenemos en cuenta que cada aspirante a médico necesitaba diseccionar dos cadáveres cada año, podemos imaginar la evidente falta de cuerpos que se produjo en Inglaterra a fina-

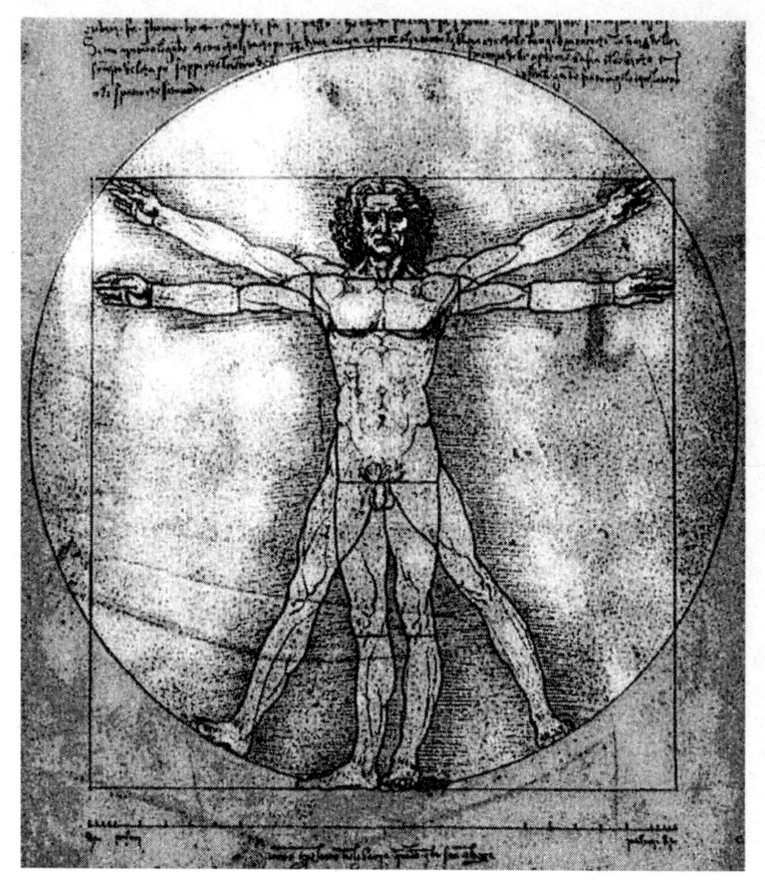

Se supone que Leonardo Da Vinci "trabajó" con los cuerpos de más de treinta ajusticiados. Y es que los secretos de la anatomía humana han sido claves para el avance de la medicina aún cuando los métodos de investigación, a veces, no hayan sido muy ortodoxos.

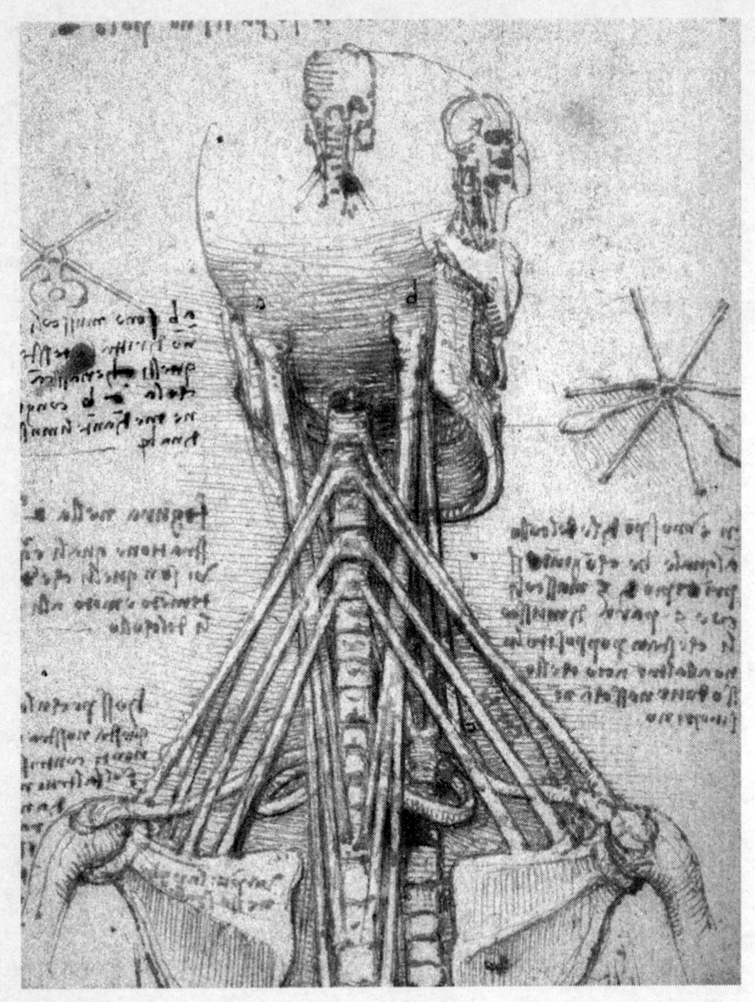

Detalle del análisis del cuello realizado por Da Vinci. Como es evidente, el nivel de detalle exigía trabajar y diseccionar cuerpos humanos.

les del siglo XVIII. Para mayor contrariedad, se redujo el número de presos ejecutados, pasando, en esas décadas, a la irrisoria cifra de unos cien al año. Estos fiambres legales no eran suficientes para abastecer el ávido mercado médico y, como es sabido, la ciencia no puede detenerse ante ningún obstáculo por molesto que este sea. En consecuencia, profesores y alumnos se emplearon a fondo en la obtención de cuerpos apropiados para el estudio. Bien es cierto que ellos no podían empañar sus relucientes expedientes con sentencias acusatorias sobre sus visitas secretas a los cementerios. ¿Qué hacer entonces?

Por fortuna para los médicos aparecieron los resucitadores, individuos provenientes de los estratos sociales más bajos y dispuestos a satisfacer las necesidades de carne muerta que tenían los inquietos diseccionadores. No es de extrañar que surgieran, dado que el precio pagado por los muertos alcanzó sumas muy estimables. Por ejemplo, un cuerpo que superara el metro ochenta y que estuviera bien musculado conseguía la cifra de ocho o diez libras esterlinas. Si pensamos que este era el dinero que un peón agrícola podía ganar en seis meses de duro trabajo en el campo, no hay que teorizar demasiado sobre por qué hubo tantos ladrones de cuerpos en aquellos años de hambruna y necesidad.

Recapitulemos, hasta 1788 el desenterrar y diseccionar cuerpos no constituía un delito grave por no considerar un cuerpo muerto como propiedad legítima de alguien, y menos, si este cuerpo pertenecía a una persona integrante de la marginalidad social.

Con el estallido de la revolución industrial aumenta el número de médicos y la necesidad de formarlos, pero, por otra parte, se intenta cortar la práctica abusiva de disección, a lo que añadimos una escasez, cada vez mayor, de condenados a muerte. En este contexto es lógico que aparecieran mafias organizadas que suministraran cadáveres clandestinos a las escuelas médicas. Lamentablemente, también llegaron los oportunistas: William Burke y William Hare serían los más abyectos.

A principios del siglo XIX el puerto escocés de Edimburgo era un buen sitio para intentar sobrevivir en medio de la rigurosidad que imponía el momento. Muchos buscavidas se acercaban a la bella ciudad dispuestos a trabajar en lo que fuera con tal de salir adelante de forma, más o menos, honrada.

William Burke era uno de esos aventureros mediocres. Nacido en 1792 en el condado inglés de Tyrone, llegó a Edimburgo dispuesto a desempeñar el duro trabajo de peón bracero. El sueldo, no nos engañemos, era ridículo, y tan solo daba para mala comida y alojamiento en alguna modesta pensión, pero, de momento, era lo único a lo que se podía aferrar. Con sus pocas monedas llegó a la posada regentada por Margaret Laird, severa mujer que vivía gracias al alquiler de varias habitaciones tan austeras como su estricto carácter. Sin embargo, la posición de la casera era muy envidiada en aquel mundo de pobres, por eso, no es extraño que fuera rondada por algunos tipos dispuestos a mejorar su precario nivel de existencia.

William Hare era uno de esos bribones. Desde hacía algunos meses Hare cortejaba a la señora Laird. En sus frecuentes visitas al albergue conoció a Burke, que tampoco perdió la oportunidad de tener una novia propia llamada Helen McDougal. Las dos parejas pronto trabaron amistad gracias, en buena parte, a las estupendas conver-

Fue esta bella ciudad la que vivió el terror de William Burke y William Hare, dos ladrones de cuerpos que a falta de los mismos, decidieron fabricarlos.

saciones que provocaba Burke y a los efectos etílicos del whisky. Noche tras noche, las reuniones de los cuatro amigos terminaban de igual manera. Las dosis exageradas de alcohol invitaban a exponer sin tapujos la delicada situación por la que atravesaba la mayor parte de los habitantes de Edimburgo: hambre, enfermedades, y falta de horizontes eran, sin duda, hirientes argumentos que empujaban a cualquiera a traspasar la frontera del mal.

En esos años, como ya he referido, se puso de moda la venta de cadáveres. El sabroso precio alcanzado por los mismos planeaba peligrosamente sobre muchas tertulias donde, participantes y espectadores, ponían a prueba su valor, presumiendo o no, sobre si algún día serían capaces de visitar el cementerio para robar cadáveres frescos que, posteriormente, fueran vendidos a los ricos cirujanos.

Burke y Hare, como tantos otros, también sopesaron esta posibilidad, pero, por el momento, ni siquiera se habían planteado cometer aquel pequeño delito. No obstante, el destino puso en su camino una tentación irresistible.

Una brumosa noche de 1827 las dos parejas charlaban animadamente cuando, de repente, escucharon unos ruidos extraños en la habitación ocupada por un triste personaje llamado Desmond. Margaret estaba muy enojada con él, dado que le debía cuatro libras en concepto de alquiler. Con recelo, Burke y Hare subieron las escaleras que conducían a la lúgubre habitación ocupada por Desmond, sigilosamente abrieron la puerta e iluminaron la estancia con un candil, pronto se toparon con el cuerpo inerte del inquilino, una hidropesía había acabado con su vida de forma rotunda. Fue entonces cuando a Burke se le encendió la bombilla de las ideas fatales; sin perder un segundo, sugirió a su amigo Hare la posibilidad de vender aquel cuerpo a los médicos. Nadie sospecharía nada, pues, a buen seguro, no se reclamaría el cadáver. Por lo que sabían, Desmond era poco más que un vagabundo sin familia, y nadie se interesaría por los restos del infortunado candidato a ser desmembrado. Hare accedió, y no sin dificultad ayudó a su socio a transportar el cuerpo escondido en un saco hasta la escuela de medicina donde se encontraba el doctor Robert Knox, hombre refinado y de exquisita educación.

Los rumores que circulaban por los bajos fondos de Edimburgo señalaban a Knox como un excelente pagador si se trataba de comprar fornidos cadáveres. El profesor de medicina examinó con vista de águila el bulto que portaban los dos aspirantes a resucitadores. La corpulencia del fiambre Desmond fue suficiente para que Knox ofreciera siete libras y diez chelines. Los socios se quedaron mudos ante la suma entregada por el cirujano; además, este los despidió con una sugerente invitación: "espero verles pronto por aquí".

Burke y Hare regresaron a la posada sin dar crédito a lo que les había sucedido. En sus bolsillos levaban una cifra equivalente al sueldo que hubiesen cobrado por trabajar esforzadamente en los muelles o en el campo durante seis meses. Y tanta felicidad solo por acarrear un muerto hasta la escuela de medicina; la fortuna parecía haberles sonreído. El fin a sus problemas estaba próximo.

Con decisión se pusieron a planear nuevas acciones; claro está que, ya no sería tan fácil como lo de Desmond. Era hora de pensar en las diferentes posibilidades que les acercaran a los cadáveres frescos que con tanta urgencia parecía pedir el doctor Knox. Existían dos vías para acceder a los cuerpos soñados, una los cementerios, y la otra, las sórdidas calles de Edimburgo.

En el primer caso el asunto era sumamente complejo por diversas causas; la principal, sin duda, la constituía una fuerte vigilancia efectuada sobre los cementerios a consecuencia de la esquilmación incesante que se hacía con los mismos. En ese sentido, se levantaron numerosas torres de vigilancia que custodiaban los recintos sagrados, a esto se añadían empalizadas cubiertas de alambre, lo que daba un aspecto parecido al de los campos de concentración. Y lo cierto amigos es que no era para menos, pues en esas décadas fueron muchas las bandas organizadas que asolaron estos lugares buscando cuerpos para universidades y escuelas donde se formaban los futuros médicos.

El temor a ser profanado llevó a muchos burgueses y famosos de la época a invertir buenos dineros en la realización de sólidos panteones con tumbas hechas a gran profundidad. Valga de ejemplo la obsesión de algunos boxeadores escoceses por ser enterrados a más de cinco metros bajo tierra, imaginando que sus cuerpos, musculados por el riguroso entrenamiento, sería un bocado apetecible para entusiasmados estudiantes de medicina.

La histeria colectiva llegaba a tal punto que, familiares y amigos se turnaban para evitar que ningún depredador humano se acercase a las sepulturas donde reposaban sus allegados.

Burke y Hare desecharon la expoliación de cementerios, eran demasiado novatos y los recintos se encontraban muy protegidos o controlados por las mafias de resucitadores (así fueron conocidos popularmente). Quedaba como única salida obtener la mercancía por las calles. En consecuencia, decidieron avanzar por el camino más oscuro posible: si no podían robar cadáveres, lo más sencillo era crearlos ellos mismos. El dinero de Knox había embriagado de tal forma a los dos amigos que nada les pudo frenar en la carrera alocada y tenebrosa hacia el crimen.

Pocas fechas más tarde planearon su primer asesinato. Durante días buscaron por el vecindario la víctima más apropiada, finalmente, se fijaron en Joseph "el molinero". Cumplía los requisitos exigidos: no tenía familia, contaba con pocos amigos que le echaran de menos, y para regocijo de sus asesinos, era alto y fornido, lo que mejoraría la sanguinaria pecunia. Una noche lo invitaron a tomar unos tragos en la posada de Margaret, una vez allí, y tras conversar alegremente al calor de algunos vasos de licor, Burke indicó a Hare que había llegado la hora de actuar.

Con rapidez, lo sujetaron mientras situaban un pesado almohadón contra su atónito rostro. Durante segundos el pobre Joseph intentó defenderse; a pesar de la resistencia, murió asfixiado sin que quedase ningún atisbo de violencia sobre su cuerpo. Burke y Hare, alborozados por el nuevo éxito, llevaron el cuerpo ante la puerta trasera de la academia médica donde les recibió, una vez más, el profesor Knox. En esta ocasión, las dimensiones de Joseph se valoraron en diez suculentas libras; tras el pago los dos rufianes chocaron sus manos prometiéndose no parar hasta conseguir una fortuna. En efecto, desde ese momento, Burke y Hare se convirtieron en auténticos asesinos en serie; no es posible calcular a cuántas personas eliminaron, se supone que la cifra oscilaría entre diecisiete y veintiocho. Sus víctimas provenían de diferentes ámbitos, siempre relacionados con la pobreza o el olvido social: cerilleras, mendigos, prostitutas o simples vagabundos fueron cayendo en las garras psicópatas de aquellos seres degenerados. No mataron niños porque, simplemente, su cotización era muy baja debido al menor tamaño de sus cuerpos.

En 1828 la situación en Edimburgo era crítica, las madres ocultaban a sus hijos, los obreros regresaban a casa en grupos, nadie quería pasear o dormir solo. El terror circulaba libremente por los rincones de la ciudad escocesa.

Sin embargo, todo asesino deja pistas, y Burke, en su afán por acumular riquezas comenzó a cometer errores que, a la postre, provocarían su detención.

La vigilancia de las barriadas en Edimburgo era extremadamente opresiva. Los policías crearon cercos sobre los lugares donde, presuntamente, habían desaparecido personas. Burke y Hare empezaron a ver entorpecidas sus

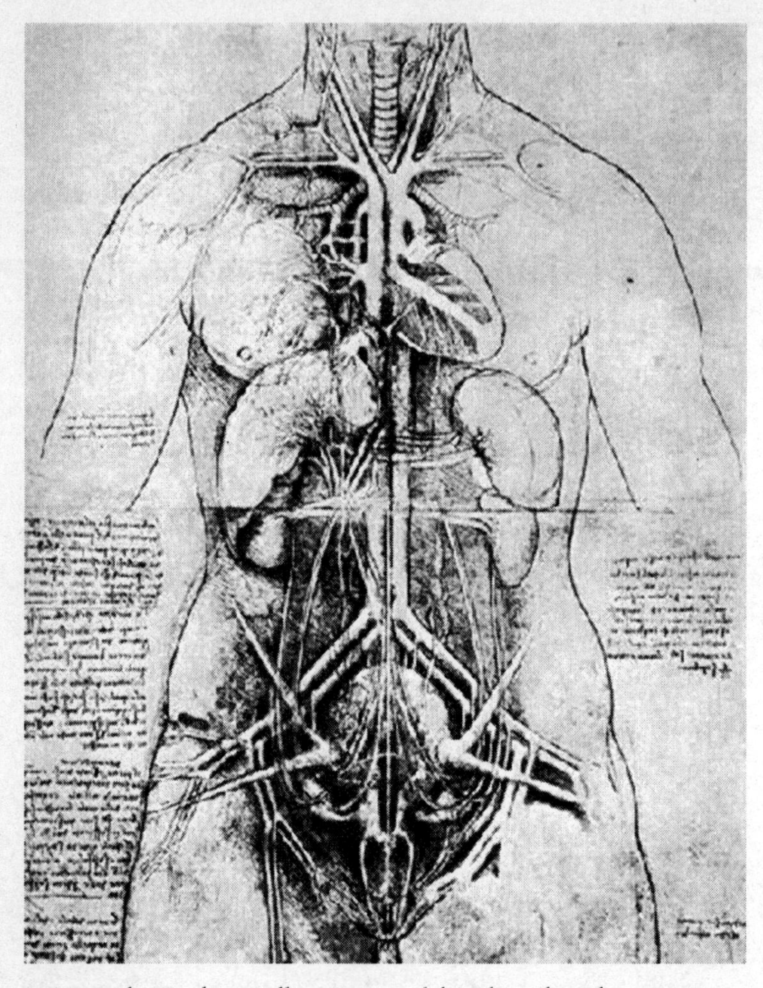

La medicina de aquellos tiempos debía de utilizar los cuerpos de ajusticiados la mayor parte de las ocasiones, con el propósito de hacer un mapa del cuerpo humano.

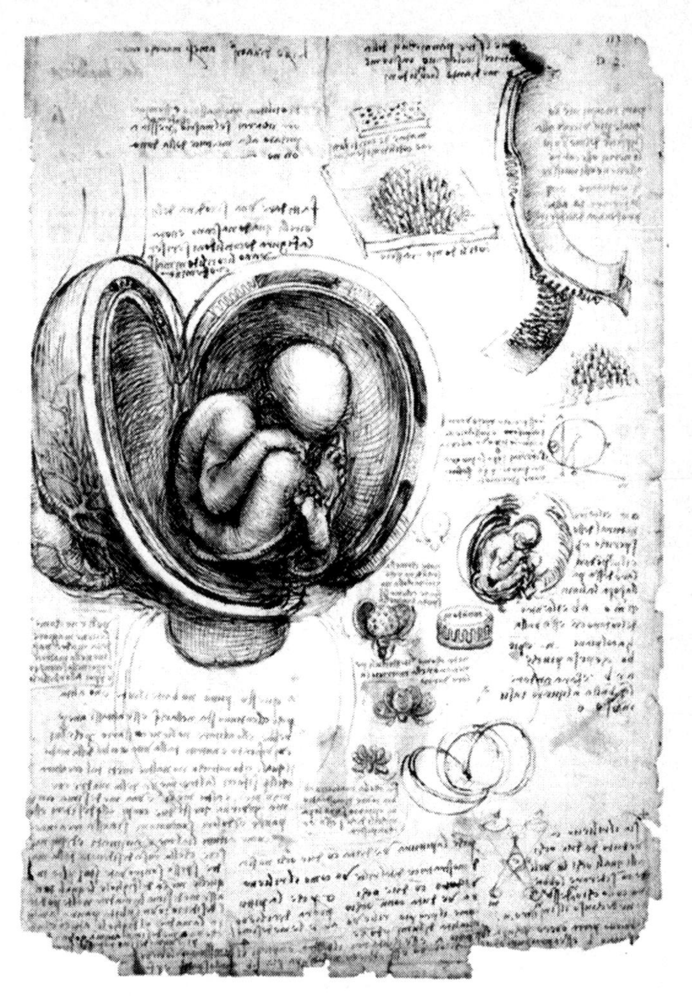

Como aquí puede observarse, el análisis de cuerpos incluía también a fetos.

hasta ahora brillantes actuaciones. Cada vez quedaban menos sitios a los que ir de cacería, y pronto tuvieron que replegarse hacia su propio feudo instalado en la pensión de Margaret quien, por cierto, no permanecía ajena a lo que estaba sucediendo, lo mismo sucedía con Helen McDougal. Las dos mujeres no participaron en ningún asesinato, pero sí, en cambio, fueron cómplices y se beneficiaron de las ganancias obtenidas por sus novios.

En ese mismo año de 1828 se produjeron los últimos crímenes de Burke y Hare. La presión policial en combinación con las numerosas indagaciones efectuadas, condujeron a los inspectores a un barrio en el que había desaparecido un joven.

El hecho extrañó a los vecinos, los cuales dijeron a la policía que James Wilson "el bobito", (así lo llamaban), era un chico que si bien tenía mermadas sus facultades mentales, sabía perfectamente por donde debía moverse y, además, estaba sano como una manzana. Por otra parte, esos mismos vecinos se habían percatado de la vida ociosa que llevaban Burke y Hare; demasiadas libras gastadas y ningún trabajo acreditado.

Esos días los inspectores merodearon por los alrededores de la posada donde se alojaban los dos asesinos. Una noche Burke cometió la osadía de masacrar a una joven en su propia habitación. Los restos sanguinolentos de la muchacha fueron descubiertos por el matrimonio Gray, que se ocupaba de la limpieza en la pensión. Helen, la novia de Burke, intentó sobornar al matrimonio prometiéndole una libra semanal vitalicia. Sin embargo, el precio no debió convencerles, dado que a los pocos minutos, se encontraban denunciando el macabro hallazgo ante la policía. A Burke aún le dio tiempo de hacer desaparecer el cadáver de la chica. Cuando llegó la policía, tan solo pudieron encontrar restos de sangre. Burke, que había vendido el cuerpo al doctor Knox, explicó, con frialdad, que aquella sangre pertenecía a la menstruación de una visita ocasional. No olvidemos que desgraciadamente, por entonces, no existían los métodos de comprobación científica de los que hoy disponemos. No había pruebas por qué no había cuerpo del delito. A pesar de todo, las sospechas sobre Burke eran evidentes.

La policía, en un alarde de contundencia, detuvo a Hare, el más débil de aquella sociedad criminal. Sobre él estuvieron presionando a lo largo de varias horas, le combinaron a confesar sus asesinatos sin resultado. Finalmente, se cambió de estrategia; en esta ocasión, la oferta era más atractiva: sí William Hare acusaba a su socio podría salir indemne de aquella situación de lo contrario, tarde o temprano, le pillarían por algo e iría a dar con sus huesos en la cárcel o en el patíbulo.

Hare, convencido por este último argumento, cantó sin miramientos, señalando a su ex-amigo como instigador y autor de todos los crímenes cometidos por ellos.

Burke, como es obvio, intentó defenderse elaborando coartadas tan peregrinas como insustanciales. Dijo que la última víctima vendida al doctor Knox murió plácidamente en su cama mientras dormía, y él lo único que hizo mal fue vender ese cuerpo a la medicina.

Si eso era delito no tendría ningún problema en pagar la multa que se le impusiese. Cuando vio que el asunto se ponía realmente turbio, contó que la chica no es que hubiese muerto en su habitación, sino que la había traído un forastero en un cajón y que se le había olvidado llevársela. Los policías escuchaban estupefactos las sandeces que les estaba contando Burke. Mientras tanto Hare seguía relatando los pormenores de sus noches sangrientas. Además, aprovechó el momento para inculpar a Helen McDougal como cómplice de su novio. No había duda, Burke era culpable y estaba a punto de pagar por sus horrendos crímenes.

El 24 de diciembre de 1828 comenzó el proceso judicial contra William Burke y Helen McDougal. Tras arduas deliberaciones, los jueces dictaminaron sentencia y esta no era buena para el confundido Burke. Moriría colgado y, por supuesto, su cuerpo sería donado a la ciencia. Helen fue absuelta y protegida desde entonces para evitar su linchamiento popular. El doctor Knox también fue absuelto, pero los ataques reiterados contra su casa y la falta de clientela, provocaron su huída hacia Londres donde el desprestigio adquirido le hundió en la miseria. Dicen que acabó sus días en Norteamérica trabajando como actor.

En cuanto a Burke, diré que fue colgado el 28 de enero de 1829; su cuerpo, al igual que el de sus víctimas, fue diseccionado por estudiantes de medicina. Lo curioso es que su piel fue vendida a cachitos para la confección de monederos y bolsas de tabaco. No me digan que no es un final *entrañable.* Y ¿qué pasó con el delator William Hare? La policía cumplió su palabra y liberó a Hare. A escondidas escapó de Escocia y trató de buscar trabajo en Londres; pero su fama le precedía y en una fábrica donde intentaba ganarse la vida, fue identificado por los obreros, los cuales arrojaron su cuerpo a un contenedor rebosante de cal viva. Hare salió del recipiente a duras penas, pero su organismo sufrió las quemaduras de la cal. Sus ojos se abrasaron, y ciego deambuló como mendigo por las calles de Londres hasta 1860, fecha en la que murió con setenta años cumplidos.

Hubo un testigo muy especial presenciando la ejecución de Burke, era el famoso escritor sir Walter Scott, quien reflejó en algún escrito lo sucedido. Pero el que realmente popularizó el caso de los ladrones de cuerpos fue Robert Louis Stevenson, dejando este hecho plasmado en la novela *The Body Snatcher* que, posteriormente, sería llevada al cine en el siglo XX. Por cierto, mi querido Peter Cousin encarnó la figura del Doctor Knox, no podía ser de otra manera.

Alexandre Pearce

Irlanda, (1790 - 1824)

UN CANÍBAL IRLANDÉS EN AUSTRALIA

Número de víctimas: 8

Extracto de la confesión: *"Le dijimos a Mather que le daríamos media hora para rezar por su alma, cosa que aceptó; luego me dio el libro de plegarias y bajó la cabeza, entonces Greenhill empuñó el hacha y lo mató".*

Antes de comenzar este relato me gustaría formularle una pregunta. Sí, a usted amigo lector, siempre inquieto y curioso por los misterios de la vida. Dígame: ¿Ha probado alguna vez la carne humana? Sí, ya sé que la preguntita es algo morbosa, pero créame que en ocasiones el morbo pasa a un plano secundario cuando se trata de sobrevivir.

Nunca sabremos cuáles son los motivos profundos que impulsan a los caníbales ritualistas a realizar sus reprobables actos. En cambio nada podemos objetar cuando un hombre se come a un semejante ya muerto para salvar su preciada vida.

El canibalismo no es en sí un delito, ningún juez condenará a un antropófago por haber comido carne humana muerta –es macabro pero no ilegal–, aunque por lo general, canibalismo y asesinato van unidos de la mano.

En raras ocasiones, como por ejemplo *La tragedia de los Andes*, la antropofagia se ha practicado sin crimen previo. En los Andes los deportistas uruguayos solo se limitaron a consumir cadáveres en el afán de superar una situación extrema. Eso nadie lo puede castigar.

Sin embargo, existen algunos casos donde la psicopatía del asesino lo impulsa a cometer, además de la matanza, episodios terribles de antropofagia. Es como si el psicópata pretendiera poseer plenamente el cuerpo de su víctima. Sea cómo fuere, la antropofagia es un tabú para los códigos de conducta que rigen nuestra avanzada civilización. Nada más horrible que la ingesta de carne humana a cargo de otros humanos.

Sabido es que en diferentes culturas aborígenes la práctica caníbal no estaba mal vista. Muchas tribus de América, África y Oceanía comían el corazón y otras partes del cuerpo humano pretendiendo adquirir la fuerza del enemigo abatido.

Hoy en día, por fortuna, esas costumbres han sido erradicadas; eso es al menos lo que creemos, pero por desgracia existen casos puntuales protagonizados por psicópatas despiadados que todavía erizan los vellos.

A principios del siglo XIX la lejana Australia presenció las andanzas de un asesino caníbal, su nombre era Alexander Pearce. La peripecia vital de este psicópata frío y adicto a la carne humana conmocionó a la sociedad australiana y aún más allá. Su historia se inscribe en un tiempo donde la vida no gozaba de buen precio, más bien todo lo contrario.

Alexander Pearce nació en la verde y siempre misteriosa Irlanda, en el seno de una familia "muy especial". Y es que, como casi todos los psicópatas, sus actos de adulto tienen su genésis en el trato recibido por parte de sus progenitores.

La isla continente era por entonces una incipiente colonia británica. El inmenso territorio, casi despoblado, era sitio propicio para la exploración y asentamiento de muchos colonos llegados de la metrópoli. Sin embargo, no eran suficientes para la conquista de aquella enorme superficie y las autoridades inglesas terminaron por idear diversas fórmulas que atrajeran a nuevos pobladores.

En esos años, de grado o por fuerza, miles de británicos se fueron estableciendo en la prometedora colonia. La mayor parte eran presos enviados a la remota isla por haber cometido cualquier tipo de delito por pequeño que este fuera. Robar pan, gallinas o ropa era suficiente para pasar una larga temporada en las penitenciarías australianas, también llamadas "puertas del infierno".

Un simple robo de zapatos condenó a Alexander Pearce a sucumbir víctima de su propia locura en una cárcel de la entonces árida tierra australiana.

En estos lugares de penoso recuerdo, los condenados realizaban tremendos trabajos forzados que en muchas ocasiones se asociaban a una pésima dieta. En consecuencia, muy pocos superaban los años de presidio muriendo irremisiblemente para ser olvidados por completo.

Los supervivientes, una vez libres, se quedaron en la tierra que los acogió como reos. De esa manera, generación tras generación, se cimentó la estructura principal de la población australiana.

Alexander Pearce nació en Irlanda en 1790. Como muchos irlandeses, su infancia y juventud se vieron salpicadas por la necesidad y el hambre; esto sin duda lo abocó al camino de la delincuencia profesional.

En 1819 fue detenido tras haber robado seis pares de zapatos. El juez no pudo ser más severo y Pearce fue condenado a cumplir siete años de reclusión en una cárcel australiana. Nunca unos simples zapatos habían alcanzado semejante precio.

Pearce, todavía atónito por la sentencia, no tuvo tiempo para pensar en nada, dado que fue embarcado de inmediato rumbo a una isla de la que ni siquiera conocía el nombre. El destino era la penitenciaría de la isla de Sarah, muy cerca de puerto Macquarie, localidad ubicada en el oeste de Tasmania.

Los primeros meses de reclusión fueron extremadamente duros. Los presos de la isla de Sarah trabajaban en la industria maderera. En aquellos parajes, sin duda los más lejanos del imperio británico, crecían bosques de pinos milenarios muy valorados por las empresas navieras que utilizaban la madera para la construcción de espléndidos buques; todo a costa de una mano de obra tan barata como indeseable para la refinada sociedad colonial.

Pearce intentó escapar en dos o tres ocasiones en todas ellas fue nuevamente capturado recibiendo grandes castigos consistentes en un sin fin de latigazos lacerantes. Poco a poco, la mentalidad de aquel irlandés se transformó en agria y hostil hacia un medio que odiaba.

Pearce a sus treinta años presentaba un aspecto avejentado, su metro sesenta de altura ofrecía la imagen de un hombre fuerte, viril y dispuesto a todo con tal de salir de aquel ambiente infernal. En sus ojos se podía intuir el desarraigo más profundo que, tarde o temprano, lo empujaría a cometer una atrocidad como la que realizó en su penúltima aventura por este mundo cruel.

El 20 de septiembre de 1822, Pearce se aferró a la posibilidad de escapar definitivamente de aquella cárcel inmunda. Los vigilantes, más preocupados por sofocar el calor y el aburrimiento, no se percataron sobre los movimientos de ocho presos, los cuales habían robado un bote para que les condujera a la tan ansiada libertad. Sorteando la custodia carcelera, Alexander Pearce, Alexander Dalton, Thomas Bodenham, William Kennerly, Matthew Travers, Brown Edward, Robert Greenhill y John Mather huyeron sigilosamente surcando las difíciles aguas de Tasmania. Llevaban provisiones para una semana y, como única herramienta, una poderosa hacha de leñador; este utensilio sería muy útil como comprobaremos enseguida. El propósito de los prófugos pasaba por llegar a una isla tranquila o incluso a la mismísima China con tal de volver a empezar sin que nadie los molestase con el recuerdo de su pasado. Sin embargo, la embarcación sustraída no era de buena calidad y al poco se hundió. Los ocho náufragos nadaron a tierra donde evaluaron su difícil situación: ante ellos un territorio absolutamente despoblado y sin recursos alimenticios que ellos conociesen. En total deberían recorrer unos doscientos cincuenta kilómetros hasta contactar con la primera población. Lo malo es que este detalle geográfico tampoco lo conocían.

Durante ochos días los evadidos transitaron por un territorio inexplorado y casi yermo. La desesperación se adueñaba de aquel insólito grupo, nada en el horizonte, nada en cualquier punto cardinal que mirasen. En definitiva, nada y nadie a los que recurrir, y para colmo, los víveres se agotaron. Aquellos hombres de diferente pelaje se tuvieron que enfrentar a una de las decisiones más terribles para el ser humano: morir o sobrevivir a costa de sus semejantes.

El intento de fuga les llevó a atravesar desolados parajes en los que la vida brillaba por su ausencia. Y sin nada que llevarse a la boca, se desencadenó la catástrofe.

El debate causó estragos en el grupo de huidos, unos pocos decidieron someterse al arbitrio del destino confiando en un milagroso golpe de suerte, otros en cambio se mostraron más pragmáticos, considerando que el alimento humano era la única solución que les permitiría aguantar un poco más hasta la salvación. Pero ¿quién sería el primero en caer?, ¿se presentaría algún voluntario para ser sacrificado?

Estas preguntas resonaban con terrible rotundidad por el paisaje estéril de aquellas latitudes.

Ocho hombres caminando, tropezando y cayendo por montes pedregosos, pantanos infectos y llanuras desoladas, era como si aquellos náufragos estuvieran de visita por el infierno y, por si fuera poco, el hambre, esa sensación que les hacía mirarse los unos a los otros con absoluto recelo. ¿Quién daría el primer paso? Todos sabían que, tarde o temprano, sucedería lo inevitable.

Una noche Greenhill –el más bruto de todos– convocó secretamente a sus amigos y compinches Pearce y Travers, casi al oído les recordó el pasado de su compañero Dalton, el cual había ejercido de soplón en la cárcel insular de Sarah. Los delatores no estaban bien vistos entre los presos, sus chivatazos a los guardias terminaban, por lo general, en duros castigos sobre los delatados. Por tanto, Alexander Dalton se convertía en el primer candidato a ser degollado y comido por los miembros de la angustiada expedición.

En un descuido Greenhill tomó el hacha que portaba desde el primer día de escapada, y asestó un letal hachazo contra la cabeza de Dalton, este cayó fulminado al suelo con los ojos desorbitados en un gesto de estupor que le impidió proferir lamento alguno. El pobre Dalton no volvería a darle a la húmeda nunca más. Pero por otra parte, el sufrimiento había acabado para él y no volvería a pasar hambre.

Greenhill y Travers se miraron con el entusiasmo del predador que ha conseguido una suculenta presa.

Con presteza, sangraron el cuerpo de su víctima. Al poco, lo abrieron, extrayendo el corazón y el hígado, vísceras que situaron en una improvisada parrilla sobre el fuego. Sin tiempo de ser asadas por completo, Greenhill y Travers comenzaron a engullir sin importarles las caras de asco que tenían sus compañeros. Algunos comenzaron a vomitar; esa noche solo comieron Greenhill y Travers, el resto se dedicó a pensar en lo incierto de su futuro. Quedaban siete supervivientes, por desgracia para ellos la lógica del canibalismo había empezado, tarde o temprano caería otro; tengamos en cuenta que la carne humana solo sacia el apetito momentáneamente al carecer de carbohidratos, y en aquella situación donde los viajeros estaban sometidos a un desgaste energético permanente, la ingesta de un cuerpo solo servía para calmar el hambre durante unos pocos días.

Brown y Kennerly quedaron horrorizados ante la acción de Greenhill; ellos decidieron no participar en aquel episodio macabro escapando por su cuenta antes de morir bajo el hacha del que parecía ser el nuevo jefe del grupo caníbal. Los dos amigos corrieron como posesos por la ondulada geografía australiana, perseguidos por el resto de la banda, temerosos ante lo que pudieran contar en caso de sobrevivir. Finalmente, ante la imposibilidad de cazarlos se optó por seguir en otra dirección confiando en que aquel inhóspito paraje los devorara sin contemplaciones. Los dos presos consiguieron llegar días más tarde a una aislada población, sin embargo, apenas pudieron musitar palabra alguna; el agotamiento y el horror sufridos acabaron con sus vidas casi de inmediato. Lo mejor para los infortunados fue que consiguieron morir lejos de sus compañeros antropófagos.

Quedaban, por tanto, cinco supervivientes del grupo original.

El 15 de octubre de 1822 Greenhill sorprendió a Bodenham en la llanura de Loddon; en esta ocasión el hachazo separó de un tajo la cabeza del cuerpo. Con avidez propia de tiempos remotos, los cuatro caníbales se abalanzaron sobre los restos de Bodenham. Ya no existía ningún tipo de pudor, ahora imperaba la ley de los fuertes. Las proteínas de la carne fresca hicieron que los cuatro presos recobraran el vigor; por delante las montañas

Tiers occidentales. Los días se iban sucediendo sin que apareciera ningún vestigio de civilización, como es natural, el hambre hizo acto de presencia. ¿A quién le tocaría ahora? A estas alturas Greenhill, Pearce y Travers ya habían formalizado una sociedad gastronómica caníbal.

El único excluido del club era John Mather, pero ni siquiera él lo sabía. A finales de octubre Mather se encontraba recogiendo unas raíces para intentar elaborar una sopa. Greenhill aprovechó el momento para atacar al desprevenido compañero. Sin embargo, este se percató en el último segundo de lo que estaba a punto de ocurrirle, giró la cabeza y trató de defenderse como pudo. A pesar de eso, el golpe lo dejo mal herido, su futuro estaba cantado. Esa misma noche los tres caníbales advirtieron a su víctima que lo mejor era dejarse matar para evitar mayores sufrimientos, Mather pareció entender el mensaje pidiendo unos minutos de oración a fin de poner su alma en manos de Dios. Sus compañeros, ante todo compasivos, accedieron permitiendo que el infeliz rezara cuanto quisiera. Tras los rezos Mather bajo la cabeza dejando que Greenhill hiciera su trabajo. Ya solo quedaban tres, y la desconfianza aumentaba por momentos.

En esos días Travers recibió la picadura de una serpiente tigre, el veneno inoculado empezó a inmovilizar la pierna del mejor amigo que tuvo Greenhill. Durante cinco días intentaron salvarle la vida llevándolo incluso a hombros por un territorio cada vez más difícil de transitar. Travers, consciente de que su fin había llegado, animó a sus compañeros para que acabasen con él. Greenhill, a pesar del hambre se resistía a la idea de perder a su camarada, pero el implacable Pearce le dijo que había llegado la hora de elegir entre vivir o morir junto al enfermo, Greenhill no lo pensó más y mató de un hachazo a Travers mientras dormía.

Tras comer hasta la saciedad y haberse aprovisionado con mojama de muerto, la extraña pareja resultante de aquel insospechado viaje partió rumbo a lo desconocido. Solo quedaban ellos de los ocho prisioneros evadidos.

Aquello se había convertido en un duelo bajo el sol de Australia. Greenhill y Pearce debían luchar entre ellos por la supervivencia, ¿quién sería el más fuerte?

Durante varios días y noches se vigilaron en corto, sabían perfectamente que cualquier descuido por pequeño que fuera supondría la muerte para uno de ellos. Greenhill era más corpulento, estaba mejor nutrido y además empuñaba el hacha asesina de cuatro hombres. Por su parte, Alexander Pearce era más inteligente y frío que su oponente. En definitiva, se medían fuerza bruta contra astucia.

Fueron ocho días de agotadora pugna por aguantar un poco más que el contrario. Por la mañana caminaban en paralelo sin dar un paso más que el otro.

Por la noche se miraban fijamente a la luz de la hoguera. No se podían permitir ni un solo segundo de debilidad. Por desgracia para Greenhill el sueño se apoderó de él en la octava noche, Pearce, que había medido mejor sus fuerzas, vio abierto el camino de la libertad. Tan pronto como Greenhill cerró los ojos para cabecear un sueñecito, Pearce tomó el hacha incrustándola en la cabeza de su antiguo amigo. Por supuesto, el caníbal triunfador no desaprovechó la ocasión comiéndose todo lo que pudo del enorme cuerpo de Greenhill. Tras un par de días de reparador descanso, el ahora solitario antropófago secó una pierna y un brazo del maltrecho fiambre, y con esta carga inició la marcha. Al poco tiempo, fue descubierto por un pastor de ovejas que apacentaba su ganado por aquellas praderas. El tipo hizo buenas migas con Pearce, ya que también había sido preso.

Durante unas semanas el evadido se recuperó en la cabaña del pastor, en este caso tomó alimentos más convencionales. Una vez repuesto, viajó a una población donde esperaba pasar desapercibido.

Transcurrieron dos meses en los que Pearce se mantuvo robando en granjas todo lo que podía, incluido ganado. Tras algunas denuncias fue detenido y encarcelado, en el interrogatorio lo confesó todo, dijo que había practicado el canibalismo durante las nueve semanas que duró su fuga. Curiosamente, nadie lo creyó, tomándolo por un loco; sí en cambio, sus captores pensaron que Pearce había creado esa historia para cubrir a sus compañeros todavía evadidos.

En 1823 fue devuelto a la penitenciaría de Macquarie de la que escapó en compañía de Thomas Cox, al que por supuesto se comió. En esta ocasión las autoridades sí dieron crédito a la hipótesis antropófaga ofrecida por Pearce, dado que a diferencia del anterior caso, ahora sí se habían encontrado restos humanos horriblemente mutilados, además de carne seca en los bolsillos de Pearce. Lo extraño es que nuestro protagonista llevaba abundantes víveres, entonces, ¿por qué mató a Thomas Cox? Es muy sencillo, Pearce era un psicópata y se había acostumbrado a comer carne humana. Había aprendido el método y tenía desarrollado el gusto por ese tipo de comida.

Fue condenado a muerte y ahorcado el 19 de julio de 1824. La cabeza del caníbal irlandés se puede contemplar hoy en día en una sección de la Academia de Ciencias Naturales de Filadelfia en EE.UU. Ignoro si la calavera se relame sonriente ante los visitantes; por si acaso, no acerquen su dedo a ella.

John Wesley Hardin

Estados Unidos de América, (1853 - 1895)

CUANDO LA MUERTE SE INSTALÓ EN EL OESTE

Número de víctimas: 44

Extracto de unas declaraciones efectuadas al diario *El Paso Times*: *"Me considero un hombre apacible, digno, que solo se inclina ante la ley y la razón. Nunca maté a nadie que fuese honrado".*

Les voy a contar la historia de John Wesley Hardin, uno de los pistoleros más sangrientos de todo el oeste norteamericano. Su vida no es muy diferente a la de otros, que como él se las tuvieron que ver muy duras, con un ambiente hostil y solo apto para supervivientes natos.

Hardin fue un criminal, de eso no hay duda, sus cuarenta y cuatro víctimas oficiales así lo atestiguan, pero si nos atenemos a su leyenda, encontraremos que él mismo aseguró no haber matado a nadie que no lo mereciera. El propio Bob Dylan compuso una célebre canción dedicada al pistolero donde se decía que John, también conocido como "dedos fríos", era amigo de los pobres y jamás mató a nadie honrado. Ya vemos que la épica de los héroes populares derrocha una asombrosa

Una colt del 38 era más que suficiente para ganarse el respeto entre una población muy acostumbrada a las armas de fuego. No obstante la destreza y la rapidez eran elementos básicos para garantizar la supervivencia.

generosidad cuando se trata de ensalzarlos frente a los poderes establecidos.

Muchos historiadores coinciden en afirmar, con cierta ironía, que un asesinato te puede convertir en psicópata; sin embargo, decenas de crímenes, por carambola del destino, te elevan a la categoría de líder. Algunos de los que conocieron a J.W. Hardin lo calificaron como ser inhumano carente de afectividad y siempre dispuesto a desenfundar antes que su presunto oponente. No obstante, sus abundantes admiradores defendieron la nobleza, educación y gallardía de un hombre perseguido por el infortunio.

John era bien parecido, sus ojos almendrados tenían las virtudes de los depredadores; de ellos decían que se congelaban en los instantes previos al tiroteo. En realidad, todo el cuerpo de Hardin se convertía en una estatua cada vez que se preparaba para un nuevo duelo, por eso también le llamaban "corazón helado". Muy pocos podían disparar con la frialdad que lo hacía John; su zurda, en ese sentido, era aterradoramente eficaz manejando su colt del 38.

John Wesley Hardin nació en Bonham, Texas, el 26 de mayo de 1853. Fue segundo filogenético del matrimonio compuesto por James Gibson Hardin y Maria Elizabeth Dixon que llegarían a ver el nacimiento de ocho hijos. El padre era un pastor metodista muy acostumbrado al nomadeo por los condados de aquel nuevo estado en cuya bandera figuraba una estrella solitaria. Poco se podía imaginar que uno de sus vástagos emularía el simbolismo de ese icono sureño.

La familia Hardin deambuló por numerosas ciudades donde el jefe del clan intentaba ganarse la vida trabajando, bien en su oficio evangelizador o bien de profesor si no había rebaño que redimir.

John fue rebelde como la tierra que le vio nacer. De hecho, a lo largo de su vida, siempre tuvo palabras de desprecio hacia esos yanquis que pisaban con sus botas victoriosas los territorios del sur.

Nunca mostró disposición alguna por los estudios, aunque si es cierto que la práctica religiosa lo motivaba tanto como para dirigir algunos grupos juveniles de catecismo. Sus progenitores pronto comprendieron que su hijo John les daría más de un problema. El propio Hardin confesaría años más tarde en una autobiografía que durante sus años infantiles tuvo a sus padres en permanente congoja. Peleas estudiantiles, broncas callejeras, fugas de la escuela, el pequeño John comenzaba a dar muestras de un carácter difícil. A pesar de todo, el niño mantuvo en todo momento el recato y educación suficientes como para que todos pensaran que aquellas tropelías iniciales eran tan solo cosas de críos y que pronto pasarían. Pero no cesaron, es más, se incrementaron. Con catorce años John se encontraba en medio de una de sus habituales peleas –en esta ocasión por el amor de una chica– cuando de repente sacó un cuchillo y sin pensarlo se lo clavó a su rival. Tras la acción, el joven John ni se inmutó regresando a casa como si nada hubiese pasado. Por fortuna, el muchacho agredido no falleció y las autoridades decidieron no encarcelar a John dada su escasa edad; craso error, pues el instinto asesino de J.W. Hardin se había despertado. Desde entonces daría mucho que hablar.

Un año más tarde, se cruzó en su vida un antiguo esclavo negro llamado Mage, como sabemos John simpatizaba con la causa sureña en toda su extensión, incluida la vertiente racista. Por su parte, el hercúleo Mage, una vez recuperada la justa libertad, no se escondía ante ningún blanco, llegando a decir en tono provocador: "jamás, ningún blanco volverá a doblegarme".

Una mañana John paseaba a caballo por un pueblo del condado de Polk. Cuando intentaba atravesar una estrecha callejuela se topó repentinamente con el inmenso cuerpo de Mage. Los dos se las habían visto jornadas antes en una trifulca y se guardaban la consabida venganza mutua. Mage impidió el paso del jinete, John intentó avanzar sin éxito dado que el antiguo esclavo asió con fuerza las bridas del caballo. Hardin miró unos segundos a Mage, y sin mediar palabra, sacó su revolver disparando tanto plomo como fue capaz. El cuerpo del fortachón cayó al suelo y John Wesley Hardin despegó hacia la fama. Tenía quince años y había matado a su primer hombre.

Comenzaron las persecuciones mientras la cifra de asesinatos se incrementaba. Con dieciséis años fue detenido y encarcelado en un fortín del ejército. En el presidio se encontraba un prisionero que hacía gala de poseer un revolver escondido, John le compró la pistola y días más tarde fingió estar enfermo. Los reiterados lamentos alertaron a un carcelero, el cual sin mucha precaución se adentró en la celda donde se encontraba el adolescente. John con frialdad impropia de un ser humano, disparó sobre el atónito funcionario matándolo allí mismo. Tras el incidente tomó un caballo y huyó a toda prisa perseguido por tres soldados. Durante varios minutos el huido pudo sentir de cerca el aliento de la patrulla que trataba de prenderle. Como si de una película se tratase, John paró en seco, se giró, y sin pensarlo demasiado, abatió a los tres yanquis que le seguían.

Ya no pararía hasta casi la frontera con Méjico, una vez allí, su pericia con los caballos le procuró un trabajo como vaquero en el rancho Chisolm. En aquel tiempo mató a siete hombres en diferentes episodios, en ocasiones por causa del juego, en otras por su tremenda psicopatía, pero ninguna como aquella en la que se midió a cinco cuatreros mejicanos. Corría el año 1871, ni siquiera había cumplido los dieciocho años. En una venta cercana a la frontera los hombres de Chisolm buscaban a unos ladrones de ganado que en esas semanas merodeaban por las inmediaciones del rancho. Una noche, en dicha venta, aparecieron cinco mejicanos, iban fuertemente armados y sus caras parecían buscar camorra. Tras el habitual cruce de improperios, los compañeros de Hardin optaron por rehusar el inminente combate. Los mejicanos parecían duros y aquello presagiaba sangre fresca. Sin embargo, J.W. Hardin se encaró él solo con los cuatreros.

En un instante, los cinco hombres se desplegaron hombro con hombro en línea recta ante la figura de Hardin. Sus rostros, marcados por la dureza de una vida poco azarosa, reflejaban entre las cicatrices y los escasos dientes, la felicidad de poder derribar cómodamente a un gringo loco e insolente. Hardin, como siempre, pareció congelarse ante sus oponentes, en sus ojos se intuía el infierno que estaba a punto de desatarse. La gente que a esas horas cenaba en la taberna, abandonó sus mesas para buscar refugio seguro. Hardin seguía sin pestañear, sus manos se situaron a escasos milímetros de sus dos colts. Todo estaba a punto para la tragedia. Los segundos transcurridos supieron a eternidad angustiosa. De repente, uno de los mejicanos intentó desenfundar, fue la señal de partida para aquella danza macabra y espeluznante. John

Wesley Hardin, con la velocidad de un mustang, extrajo de las cartucheras sus dos pistolas, y con frialdad asombrosa, fue derribando uno tras otro a los nerviosos cuatreros. Un minuto más tarde, cinco muertos yacían sobre el suelo helado de aquel lugar cercano a la frontera. John, sin alterar el gesto, se sentó en una de las mesas que habían quedado en mejor estado después de la balacera, llamó al tabernero y le pidió un buen filete para cenar. Estoy de acuerdo que la actividad genera algo de hambre, pero ¡caramba!, matar a cinco hombres, por muy cuatreros que sean, debe provocar de todo menos ganas de comer. Pero claro, estamos hablando de uno de los mayores psicópatas del oeste y eso debe considerarlo el lector. Hagamos recuento, hasta ahora "dedos fríos Hardin" había matado oficialmente a doce hombres, aunque extraoficialmente se rumoreaba que eran muchos más. Por lo menos ya había empezado a afeitarse, lo que le daba un aspecto más varonil ante los hombres duros a los que se iba enfrentado.

El 29 de febrero de 1872 latió el corazón de John; por fin pudo casarse con su primer y único amor, la hermosa Jane Bowen, con la que tuvo cuatro hijos: María Elizabeth, John Wesley, Jane Martina y Callie, aunque en pocas ocasiones pudo disfrutar del matrimonio y de la prole, dado que John Wesley era el pistolero más buscado de toda Norteamérica. Su cabeza fue valorada en 40.000 dólares, que para la época eran una auténtica fortuna. Cientos de cazarecompensas y sheriff se pusieron manos a la obra en el intento de apresar a ese criminal que con pasos firmes entraba en la leyenda de la joven nación. Hardin formó parte de alguna banda, pero su talento siempre lo empujaba a cabalgar solo.

El propósito principal era alejar a su familia del peligro o la venganza. No obstante, algunos familiares, también de conducta violenta, cayeron bajo el peso de la ley. Dos de sus primos y su querido hermano mayor, Joseph, fueron linchados y colgados de un poste de telégrafos. Era una advertencia directa para que John Wesley Hardin supiera que él, tarde temprano, acabaría de idéntico modo. Pero John era escurridizo, inteligente y letal. Bien es cierto que su mente atormentada le procuraba algún desvarío que otro, como por ejemplo ocurrió aquel día en Abilene, ciudad de la que era sheriff Wild Bill Hickok, otro legendario personaje del western.

Hickok sabía que Hardin se encontraba cerca de su ciudad, por eso tensó la vigilancia ordenando a sus ayudantes que no bajaran la guardia en ningún momento. En efecto, la intuición del alguacil no le había fallado, John se encontraba en Abilene escondido en un hotel de mala muerte. El chico estaba algo nervioso e intentaba conciliar el sueño, no paraba de pensar en su mujer y en lo bueno que era disparando Hickok. En eso, reparó en un brutal sonido que venía de la habitación contigua, John se levantó acercándose a la pared de donde parecía provenir aquel ruido gutural. Sí, no había duda, el bronco alarido infernal era el ronquido de un huésped sumido en un placentero sueñecito. John aguantó lo que pudo, pero la tensión del momento era tan fuerte que se vio obligado a desenfundar su pistola, la cual sitúo en un orifico de la pared. Sin pensarlo mucho, disparó un par de veces sobre el dormilón, al que dejó para siempre instalado en el sueño de los justos. Sí, ya sé querido lector que J.W. Hardin reaccionó de manera desmedida, pero si yo les presentase a un vecino que tuve créanme que quitarían algunos puntos en la condena. Tras el pequeño incidente, John escapó a toda velocidad de Abilene.

En 1874 celebró su vigésimo primer cumpleaños matando al ayudante de un sheriff, era su víctima número treinta y nueve. Durante tres años más consiguió escapar de la justicia; todos hablaban de él como si se tratase de un fantasma, una visión espectral que recorría a sus anchas los estados del sur. Nadie parecía estar facultado para atrapar a John Wesley Hardin. Finalmente, el forajido más terrible del oeste pensó que había llegado el momento de intentar rehacer su vida. Con su familia tomó un tren dispuesto a buscar fortuna en Florida, sin embargo, la fatalidad quiso que unos Rangers de Texas viajaran en el mismo tren. Era el 23 de julio de 1877.

John fue reconocido y al intentar desenfundar para ese último duelo los tirantes del pantalón provocaron que el revolver no saliera con la agilidad acostumbrada. Con esa tregua los rangers consiguieron inmovilizar a John Wesley Hardin. Era el fin de la aventura. Por suerte para él, en ese estado no estaba vigente la pena de muerte, no obstante fue condenado a veinticinco años de reclusión por la muerte de un ayudante de un diputado. El 28 de septiembre de 1878 se dictó sentencia y Hardin ingresó en la cárcel de Huntsville. Desde luego que intentó escapar, pero siempre de manera infructuosa. Un poco más calmado, orientó su estancia en presidio hacia el aprendizaje de algunas disciplinas académicas; estudió teología, álgebra y leyes. Gracias a eso obtuvo, sin dificultad, el título de abogado.

El 16 de marzo de 1894 consiguió el indulto, a consecuencia de los casi diecisiete años ejemplares que había pasado en prisión. En efecto, durante ese tiempo J.W.

$30 REWARD
PAID FOR DESERTERS.

The following members of the *AUGUSTA GREYS*, having deserted from the ranks of the Company, the above reward will be paid to any one who will arrest them and deliver them to the Guard-house of the 5th Reg't, Va. Volunteers, 1st Brigade, viz:

JAMES G. CARRIER,
SAMUEL K GROAH,
CONELIUS DAM,
ANDREW J. ZINK.
THOMAS M. CROSON,
ANDREW J. GROAH,
ELISHA WEEKS,

Several others are reported absent without leave, and unless they report for duty immediately, they too will be considered deserters and treated as such. I have been informed that a number of the Company who are now reported absent sick, are merely feigning sickness, therefore all absent sick of the Company, who are not registered at the Hospital, will at once report for duty, or send me an *Army Surgeon's Certificate* within 12 days, failing to comply with the above, they will be reported absent without leave, and on their return to the Regiment will be court-martialled for said offence.

JAMES W. NEWTON, Capt.
Comd'g Co. E. 5th Reg't, Va. Vol. 1st Brigade.

Camp [illegible], August 7, 1862.

Los carteles de "Se busca" fueron una constante en ese tiempo cuando el Oeste fue el punto más salvaje y fiero del planeta.

Hardin fue un preso modelo, jamás se vio involucrado en ninguna pelea, ni altercado. Era como si su espíritu inquieto hubiese alcanzado el sosiego necesario para ver la vida desde otra perspectiva. Pero una vez en libertad ¿se despertaría otra vez su instinto asesino?

De momento todo hacia pensar que no, John se estableció como abogado en la ciudad del El Paso, estaba dispuesto a empezar de nuevo, esta vez como ímprobo ciudadano al servicio de la ley. Él mismo hizo estas declaraciones al diario *El Paso Times*: "soy un hombre apacible, digno, que solo se inclina ante la ley y la razón". Leyendo estas declaraciones se piensa que en verdad Hardin se había caído del caballo y el golpe le había conducido hacia la luz. Sin embargo, la sombra de su pasado le perseguía. Y en la mañana soleada del 19 de agosto de 1895 mientras jugaba tranquilamente a los dados en el salón de una taberna llamada Las Cumbres, recibía por la espalda el disparo mortal del sheriff John Selman, hombre al que presuntamente había sobornado para asesinar a un rival suyo. De esa manera murió John Wesley Hardin, tenía cuarenta y dos años. Su entierro costó poco más de 75 dólares pagados por una supuesta amante. Terminaba la historia de un héroe popular, su vida quedó inmortalizada en decenas de narraciones, canciones o películas como la que protagonizó Rock Hudson que llevaba por título: *Historia de un condenado*. Su mítico colt del 38 se puede contemplar hoy en día en el *J.M. Davis Arms* de Oklahoma; es la herencia dejada por un alma sin descanso que como otras forjó la leyenda del salvaje Oeste americano.

Brynhilde Paulsetter Sorenson
Noruega, (1859 - 1908)

BELLE GUNNESS, LA VIUDA NEGRA

Número de víctimas: un mínimo de 42
Extracto de la confesión de su cómplice: *"Yo la ayudé a matar a todos esos hombres. El último día apliqué cloroformo a sus hijos como ella me dijo y juntos colocamos en el interior de la casa el cadáver de aquella camarera, después se vistió de hombre y escapó tras haber pegado fuego a la casa con sus hijos dentro".*

Brynhilde Paulsetter Sorenson protagonizó uno de los casos más misteriosos de cuantos han sido realizados por los asesinos en serie. En su dossier no se puede concentrar mayor maldad y perversión. Mató con absoluta frialdad a hijos, maridos, amantes, pretendientes y desconocidos, incluida una pobre mujer de la que ya hablaremos. Todo era posible si de aumentar su patrimonio se trataba.

Lo cierto es que según las anteriores líneas, bien pudiera parecer que Belle Gunness (ese fue su nombre de guerra) era una mujer carismática y espectacular. De lo primero no hay duda pues fueron muchos incautos los que se acercaron cuál luciérnagas a su luz, pero en cuanto a lo segundo solo diré que *esta gran mujer* medía casi un metro noventa de altura con un peso aproximado de ciento treinta kilos. En efecto, era inmensa como su fuerte personalidad. Por si fuera poco, perdió, ya madurita, toda la dentadura sustituyéndola por una postiza donde predominaban unos bellos dientes de oro. ¡Que maravilla!, el sueño noruego de cualquier granjero de la América profunda. Por eso digo que la historia de nuestra Belle es digna de ser contada, sus cuarenta y dos supuestos asesinados merecen unas páginas en este libro.

Los métodos que esta *sirena terrestre* empleó para sus matanzas no son en verdad los más sofisticados: hachas, martillos, sierras, fuego, trituradoras de carne para salchichas... todo salpimentado con magníficas dosis de estricnina, un producto descubierto a principios del siglo XIX y muy utilizado en pequeñas dosis como tónico reconstituyente. Lo nefasto para cientos de víctimas es que la sobredosis de estricnina provoca la reacción contraria, sacudiendo al intoxicado como si el infierno hubiese entrado en su cuerpo. Bastan 100 miligramos para que la persona que los ingiera se retuerza en grotescas posturas corporales mientras se asfixia letalmente. Cuentan que los músculos faciales se contraen de tal forma que el aspirante a muerto termina sus minutos en este mundo con una sonrisa congelada nada hilarante.

Belle (así la llamaremos desde ahora) nació en Noruega en 1859; hija de un granjero que obtenía ingresos extra trabajando como prestidigitador circense en los espectáculos ambulantes que recorrían el país, pronto aprendió el oficio de equilibrista a fin de amenizar los intermedios creados por el número que ofrecía su progenitor. Durante años, la familia Paulsetter adquirió alguna fama por aquellas latitudes escandinavas, sin embargo, ni el circo ni la granja fueron suficientes para que la joven

Belle Gunnes nació en un lugar de paisajes bucólicos en Noruega. Ello no fue óbice para que fuera desequilibrándose conforme pasaban los años, hasta convertirse en una de las peores criminales de todos los tiempos.

echara raíces en su tierra natal. Y, como tantos europeos, emigró a Norteamérica buscando el horizonte adecuado para su ambición desmedida por ser rica.

Con diecinueve años se plantó en el nuevo continente, dispuesta a triunfar a costa de quién fuera. En ese tiempo la comunidad escandinava que habitaba en Norteamérica era bastante numerosa y no fue difícil encontrar trabajillos proporcionados por algunos paisanos. No obstante, la corpulenta Belle no había nacido para convertirse en una simple tendera o trabajadora a sueldo, ella aspiraba a más, a mucho más. En consecuencia se puso a buscar un buen marido que le facilitara su salida del pozo. Tuvo suerte y se casó con un sueco fortachón llamado Mads Sorenson. Solo existía un pequeño problema y es que

Belle no conseguía quedarse embarazada. El asunto se solventó con la adopción de tres pequeños: Jenny, Myrtle y Lucy. Todo parecía encauzarse en la vida de nuestra protagonista, su marido era un próspero comerciante y los recursos económicos se mostraban suficientes para alimentar a la nueva familia. Pero, ¿eso era lo que quería la indomable Belle? Desde luego que no, la noruega pretendía seguir subiendo y Mads no podía ofrecer más que una modesta posición social. Por desgracia para él firmó dos pólizas de seguros ante la insistencia de su mujer. El pobre Mads no desconfió dado que sabía la angustia que Belle sentía ante un futuro incierto y lleno de deudas. Curiosamente, tras firmar los documentos, el sueco murió fulminado. Los médicos tras examinar el cadáver certificaron la muerte de Sorenson a consecuencia de una dilatación extrema del corazón. Todos lloraron la muerte de Mads, también su viuda que parecía estar muy afectada. Sus lagrimones, sin embargo, no le impidieron divisar la agencia de seguros, donde se plantó el mismo día del entierro, dispuesta a cobrar los 8.500 dólares en los que se había tasado la vida de su añorado esposo.

No obstante, algo extraño en el comportamiento de Belle debieron percibir los familiares de Mads, dado que solicitaron la exhumación del cadáver para una nueva revisión del mismo. Mientras se cumplían estos trámites, Belle agarró a sus tres hijos para salir precipitadamente de Chicago, ciudad en la que vivía, rumbo a Austin donde compró una casa de huéspedes. El negocio no funcionaba todo lo bien que debiera, Belle no era buena cocinera, y ya se sabe, que estas cosas circulan muy deprisa entre los posibles inquilinos. Al poco de instalarse casi todas las habitaciones de la fonda estaban vacías. ¿Qué se podía hacer? Las cosas no funcionaban pero Belle, convencida de que algún día encontraría su lugar bajo el sol, aseguró el local y rezó a todos los dioses del panteón nórdico. Como el lector puede intuir, la pensión de Belle ardió hasta los cimientos, y sin perder un minuto, la antigua equilibrista exigió el pago completo de la póliza.

Los dueños de la aseguradora que, desde luego, eran candidatos a la quiebra técnica, pagaron sin chistar los 4.000 dólares estipulados en el contrato, y con ellos Belle regresó a Chicago dispuesta a seguir montando flamígeros negocios. En esta ocasión fue una pastelería, después de cobrar Belle se sintió algo observada por el temeroso mundo de los seguros, demasiados incendios para una sola persona.

Con los ahorrillos, nuestra pirómana ocasional se esfumó para dar con sus huesos en el condado de La Porte, un bello paraje de Indiana donde compró una granja y algunos terrenos.

Lejos de la felicidad, nuestra viuda estaba triste, había viajado desde su granja en Noruega para acabar de granjera en los Estados Unidos. No era justo, y para colmo, se encontraba sola y con tres niños adoptados a los que cada vez quería menos. Para mayor desgracia, su cuerpo seguía engordando y sus dientes parecían perlas dada su escasez. Belle, ya cuarentona, no se las prometía muy felices, pero en 1902 apareció en su vida un tal Peter Gunnes, paisano suyo de carácter alegre y que muy pronto congenió con ella. Se casaron de inmediato, y para asombró de la propia Belle, quedó encinta a pesar de sus cuarenta y cuatro orondos años.

La noruega era muy trabajadora, sus tareas en la granja pasaban por la muerte y preparación de cerdos,

Las compañías de seguros no daban abasto, la «viuda negra» actuaba con total precisión, siendo uno de sus métodos favoritos pegar fuego a todo aquello que pudiera darle suculentos beneficios, fueran inmuebles o personas.

vacas y cualquier ganado que se pusiera al alcance de los afilados utensilios esgrimidos por esta mujer.

La matarife veía con profundo desagrado que su marido no atendiera las faenas cotidianas, menos mal que accedió a contratar una póliza de seguros que dejaran a Belle y sus hijos atendidos en caso de que Peter Gunnes sufriera cualquier inesperado accidente. Y así ocurrió. Pocos días más tarde una trituradora de carne para salchichas se desplomó inesperadamente sobre el débil cráneo de Peter. El crujido fue horrible, y Belle no pudo reprimir que una lágrima o quizá dos, resbalaran por sus mejillas. En ese momento nadie quiso hacer caso a Jenny, la hija mayor de Belle, quien de forma alocada, salió corriendo mientras gritaba: "mi mama ha matado a mi papa". En lugar de creer a la niña el seguro pagó religiosamente los 4.000 dólares contratados.

Una vez más Belle se quedaba sola, viuda, madre y granjera. ¡Pobrecilla!, decían todos. Por si fuera poco, al mes del fatal accidente que acabó con la vida de Peter Gunnes, nació el hijo de ambos, justo al mismo tiempo que Jenny desaparecía para siempre. La explicación que Belle ofreció a sus vecinos fue que la pequeña de tan solo diez años había sido enviada a Los Ángeles para completar su formación académica.

Belle, cuál conquistadora de corazones, se puso manos a la obra. Se trataba de conseguir el mejor marido posible, no sería fácil, pues a estas alturas la noruega estaba algo perjudicada en su estética, más de ciento treinta kilos de peso, la piel algo ajada por los trabajos del campo, y ni un solo diente o muela en su boca. Algo había que hacer, y lo hizo. Adelgazó algunos kilos y con los dólares obtenidos del seguro de vida se compró una dentadura postiza de oro. Cuando se sintió nuevamente bella, insertó anuncios en los periódicos que tenían secciones de contactos amorosos. Se ofrecía como una mujer joven, hermosa y de buena posición. El propósito no era otro sino contraer matrimonio para unir su fortuna a la de un rico galán. Los granjeros de las inmediaciones también se acercaron a cortejar a la viuda Belle, pero siempre fueron rechazados, acaso porque no cumplían con las expectativas de esta insaciable vampiresa.

Los anuncios impresos fueron atendidos por decenas de maduritos dispuestos a complacer a una mujer interesante y con la bolsa llena de dólares. Eso sí, Belle no se entregaría a cualquiera, en sus textos románticos afirmaba que ella valía por los menos 20.000 dólares y que para

Belle Gunnes junto a sus tres hijos. Una imagen familiar y tranquila que contrasta bastante con su estilo de vida.

demostrar la seriedad del pretendiente este debía presentarse ante ella con no menos de 5.000, de lo contrario no merecía la pena iniciar el coqueteo.

Durante semanas los aspirantes fueron llegando a la granja de Belle; ella los recibía con la sonrisa reluciente de sus dientes de oro. Eran escenas bucólicas llenas de romanticismo, eso no me lo pueden negar. Cada candidato ponía sobre la mesa sus dólares en efectivo como muestra de afecto sincero, Belle tras contar la suma prometía al incauto un matrimonio ardiente y lleno de emociones. Esto último, hay que decir que siempre lo cumplió. Pero no lo de consumar la unión, dado que los hombres iban desapareciendo uno tras otro.

En aquellos años del siglo XX las comunicaciones no estaban demasiado extendidas, cada viajero podía invertir

Restos de la casa de Belle
en LaPorte, Indiana.

varias semanas en ir de un lugar a otro sin dar noticias. Por tanto, que se evaporaran estas personas sin dar mayor explicación, no era tan extraño, y, además, buen número de ellos eran lobos solitarios sin familia que los reclamase.

Tras siete desaparecidos llegó George Anderson. Como con todos, Belle realizó el habitual protocolo de bienvenida y negociación, Anderson aceptó encantado contraer matrimonio con Belle, pero la noche caía y la jornada había resultado agotadora para el bueno de George. La viuda, ante todo educada, le ofreció quedarse a dormir en una cama muy confortable que ella tenía para sus mejores invitados. George, sin pensarlo mucho, aceptó complacido y se dispuso a echar un reconfortante sueñecito. En mitad de la madrugada se despertó sobrecogido por una mala pesadilla, al abrir los ojos se encontró con una imagen espectral, nada menos que Belle mirándolo fijamente mientras sujetaba una vela a punto de apagarse. Anderson salió corriendo y no paró hasta llegar al pueblo más cercano, eso lo convirtió en el único superviviente de la viuda Belle. Pero esta sin inmutarse continuó con sus trabajos de prospección marital.

En 1906 conoció a un jornalero llamado Ray Lamphere, al cual contrató para trabajillos esporádicos en la granja. Con el tiempo también la sirvió como amante ocasional entre tantos pretendientes que, por cierto, seguían acercándose sin saber que estaban a punto de ser abducidos y no precisamente por extraterrestres.

En enero de 1908 se presentó Andrew Helgelien, quien a diferencia de otros aspirantes tenía buena educación y dinero líquido en la cuenta corriente. Andrew se quedó varias semanas en la casa de Belle, parecían congeniar y la noruega se mostraba encantada ante esa presunta alma gemela.

Pero como en todas las tragedias surgió la fatalidad. Lamphere, celoso y borrachín, había sido el cómplice perfecto cubriendo las actuaciones de su amante. Sin embargo, Andrew se estaba extralimitando en lo que el jornalero entendía como normal. Una noche se presentó en la taberna del pueblo mascullando a un amigo: "Ese Helgelien ya no me molestará más" ¿Qué le había ocurrido al pobre Andrew? Nada se supo de él, solo que la mañana anterior a su hipotética marcha visitó el banco donde extrajo 2.900 dólares en efectivo.

La gente comenzó a murmurar que algo raro estaba sucediendo en la granja de la viuda Belle. Para mayor sospecha llegaron cartas del hermano de Andrew solicitando información sobre su paradero. El asunto se complicaba por momentos, Belle, nerviosa como nunca, despidió al parlanchín Lamphere contratando otro capataz menos hablador. El despechado amante se lió con otra mujer, pero sin cesar el acoso sobre la propiedad de la viuda.

El 27 de abril, una temerosa Belle concertaba cita con su abogado comentándole con voz trémula que se sentía amenazada por su antiguo empleado, el cual, entre gritos insultantes, le había amenazado con que prendería fuego a la granja con ella y sus hijos dentro. Por desgracia, el vaticinio se cumplió y al día siguiente una densa humareda, proveniente de la casa, alertó a los vecinos sobre la desgracia que estaban a punto de descubrir. En efecto, una vez allí comprobaron con horror como entre los restos carbonizados de la vivienda se dejaban ver cuatro cuerpos destruidos por las llamas, tres pertenecían a los hijos de Belle, todos de corta edad, pero el cuarto era el más enigmático de todos, dado que le faltaba la cabeza. En principio, se pensó que el cuerpo era de la infortunada Belle, sobre los restos se adivinaban algunos anillos de oro que la viuda se había ocupado de enseñar a todos en jornadas anteriores. Además, en una de las estancias de la casa se encontró una dentadura postiza que identificaron como propiedad de la noruega. Pero algo no encajaba, y es que las dimensiones del cuerpo carbonizado no se correspondían con las de la viuda. ¿Qué estaba pasando?

A los pocos días llegó Asle Helgelien, buscaba a su hermano Andrew desaparecido hacía cuatro meses. Al enterarse de la noticia, insistió al sheriff para iniciar una exhaustiva investigación por la zona. Con más dudas que argumentos, los hombres de la ley comenzaron a cavar en los terrenos próximos a la granja.

Las sospechas de Asle no tardaron en confirmarse. Como si de una cosecha se tratase, los policías comenzaron a recolectar cuerpos enterrados, el de Andrew fue de los primeros en aparecer, después se recobró el cuerpo de la pequeña Jenny, más tarde, otros tantos, era un auténtico campo de los horrores. Tan solo se pudieron identificar unos pocos, aunque las excavaciones dieron como primer resultado el desenterramiento de catorce cadáveres desmembrados.

En los cuerpos se podían ver toda suerte de fracturas y cortes, en algunos hoyos se descubrió con horror colecciones de brazos y piernas agrupados como si fuesen macabros tesoros. Finalmente, en un viejo pozo se encontró un cráneo aislado. ¿Era el de Belle?

Se detuvo, sin contemplaciones, a Ray Lamphere con la acusación de cómplice de la viuda Belle y asesino de la misma y sus hijos. El 9 de noviembre de 1908 fue juzgado y condenado por esas causas. Sin embargo, un año más tarde, cuando se encontraba en la cárcel a punto de morir por tuberculosis solicitó la confesión con el cura de la prisión al que expuso, con todo detalle, la supuesta verdad de los hechos, y esta no era otra, sino que Belle lo había dispuesto todo para esfumarse de aquel sitio, donde, según Lamphere, había asesinado con su ayuda a cuarenta y dos personas. Ella misma preparó la coartada asesinando a una pobre camarera a la que mediante engaño atrajo a su casa donde acabó con su vida. El pecado de esta mujer había sido parecerse físicamente a Belle.

Lo cierto es que la confesión de Lamphere sobrecogió a los investigadores, fue entonces cuando alguien recordó la enorme dosis de estricnina que se había encontrado en los cuerpos quemados, así como las menores dimensiones del cadáver decapitado. Todo empezó a encajar, las noticias circularon a velocidad inaudita, Belle podía estar viva y disfrutando del dinero robado a sus víctimas.

Como en las mejores leyendas urbanas, Belle fue vista en decenas de ciudades y pueblos, todos creían haberse topado con la viuda negra. Y lo cierto amigos es que jamás se pudo resolver la duda sobre si Lamphere dijo la verdad o no en su lecho de muerte. Sea cómo fuere, el caso de la viuda Belle entró a formar parte del folklore norteamericano, incluso su historia se llevó al teatro bajo el título *El misterio de la señora Gunnes.* Nunca sabremos lo que pasó realmente con esta psicópata, si murió abrasada o llegó a respetable viejecita adinerada. Lo único real es que asesinó a hombres, mujeres y niños como si de una bestia inhumana se tratase, supongo que ahora tendrá una magnífica granja en el infierno.

Jeanne Weber
Francia, (1875-1909)

LA ESTRANGULADORA DE PARÍS

Número de víctimas: 9-10
Extracto del informe médico elaborado por el psiquiatra León Thoinot: *"El comportamiento de la acusada obedece sin duda alguna a un acto de embrujamiento y a las constantes ofensas y vituperaciones a las que ha sido sometida. Recomiendo su ingreso en una institución mental".*

El estrangulamiento es uno de los métodos más utilizado por los psicokillers; por supuesto, que el puñal ocupa lugar hegemónico a la hora de perpetrar crímenes. Pero sin duda, el acto de situar las manos sobre el cuello de la víctima y apretar a voluntad hasta consumar la asfixia total, es una de las formas de poder y dominio que más excitan a los psicópatas asesinos.

Se calcula que un estrangulador precisa unos cinco minutos para completar el ahogamiento del pobre o la pobre que caiga bajo sus garras, y nunca mejor dicho. Se sabe que los niños y los adultos de carácter tranquilo tardan más minutos en morir que los de personalidad inquieta. En ocasiones el estrangulado fallece por la evidente falta de oxígeno que sufre su cerebro, en otras, una presión desmedida sobre el nervio vago repercute en un inmediato paro cardiaco. Sea como fuere, el agresor parece sentirse un dios ante la criatura martirizada; es como si pudiera decidir en esos pocos minutos donde se desarrolla la agresión, la vida o la muerte del condenado por él.

En el trance, el rostro se torna azulado, los ojos se desorbitan apreciándose en ellos el estallido hemorrágico de los pequeños vasos sanguíneos y los órganos internos se convulsionan hasta el colapso. No obstante, algunos expertos aseguran que la estrangulación no es necesariamente dolorosa, dado que las víctimas se desvanecen a los pocos segundos de empezar a ser oprimido su cuello, dejando de sentir angustia. Por tanto, según estas teorías resultaría francamente complicado que alguien pudiera morir suicidado por la aplicación continua de sus dedos sobre su propia garganta, ya que a los pocos segundos el inevitable desmayo forzaría la consiguiente falta de presión sobre la zona; eso, al menos, es lo que reflejan los informes más exhaustivos a cargo de grandes especialistas en la materia.

Pero déjenme que les cuente la interesante historia de Jeanne Weber; créanme que pocas veces se han visto casos como este, un hecho que conmocionó a la sociedad francesa de principios del siglo XX.

Jeanne nació en 1875, hija de humildes pescadores quiso probar fortuna viajando a París cuando tenía veinticuatro años. En la ciudad de la luz conoció a un borrachín buscavidas llamado Marcel Weber del que tomó el apellido. El joven matrimonio carecía, como es obvio, de suficientes recursos económicos lo que les empujó al conocido barrio de Montmartre, por entonces, una pedanía parisina muy popular por los bajos precios que se pedían en el alquiler de diminutos pisos y apartamentos. Marcel trapicheaba constantemente con asuntos de

Imagen del Moulin Rouge, icono muy célebre del parisino y bohemio barrio de Montmartre, lugar en el que se desarrollaron los crímenes de la joven Jeanne.

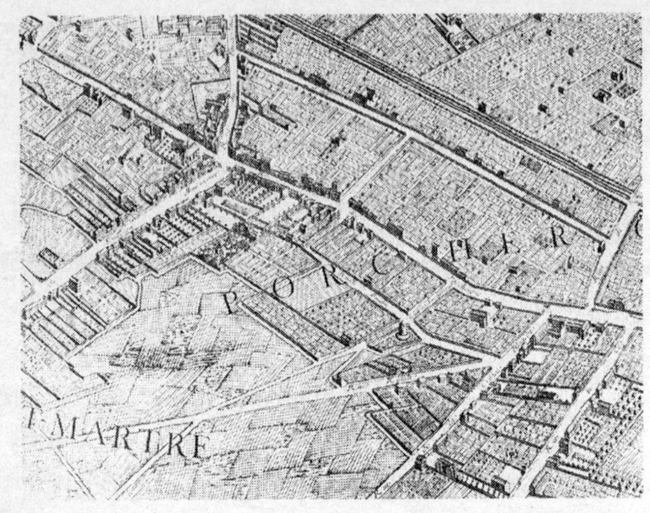

Según puede observarse en este plano, más que un barrio era una auténtica ciudad dentro de otra, de calles recoletas y estrechas en las que pasar desapercibido era relativamente fácil.

diverso calado, sin embargo, su alcoholismo devoraba cualquier ingreso que obtuviera. Por su parte, Jeanne, mujer hermosa y de gesto apacible, conseguía algunos francos cuidando a los niños de sus vecinas trabajadoras. Además, tuvo en esos primeros años tres vástagos de aspecto sano y rollizo. Nada hacía pensar que aquella familia de clase baja pudiera traspasar los muros de una vida triste y gris para instalarse en la popularidad que otorga la incursión por las galerías del horror.

A comienzos del siglo XX, la desgracia entró sin llamar en la modesta vivienda de los Weber, los dos hijos pequeños murieron casi a la vez de forma repentina. Las circunstancias que rodearon a las muertes no dejaron entrever nada sospechoso salvo unas pequeñas marcas rojas que se habían encontrado en el cuello de los niños. En

Este fue el campo de actuación de la «estranguladora de París», un ser abyecto capaz de cometer las peores atrocidades y sus fatales víctimas eran niños.

principio los médicos atribuyeron aquellos fallecimientos a un tipo concreto de bronquitis que, por entonces, causaba estragos entre la población infantil francesa. En efecto, dolencias pulmonares, sarampión, escarlatina o la propia bronquitis eran enfermedades demasiado conocidas por los habitantes de las barriadas más pobres de París.

Jeanne y Marcel se distanciaron. Las continuas borracheras de él consiguieron, finalmente, trastocar el alma de aquella joven cuyos ojos parecían estar fijamente perdidos en la nada de un horizonte incierto. Jeanne acabó por entregarse a la bebida, su situación era desesperada, pero a su lado permanecía su primogénito Marcel y eso la animaba a seguir luchando. Las vecinas sabían de su talante amable y cariñoso con los niños y no desconfiaron a la hora de entregarle el cuidado de sus pequeños mientras ellas salían a trabajar en las humeantes fábricas de París.

Pero el infortunio parecía perseguir a la desconsolada Jeanne, dos de esos niños custodiados por ella fallecieron al poco. Los galenos, tras examinar los pequeños cuerpos de Alexander y Marcel Poyatos, diagnosticaron su muerte por una extraña afección pulmonar.

De momento Jeanne Weber quedaba a salvo de cualquier inculpación, sus propios cuñados decidieron apoyarla y, para mayor muestra de confianza, le pidieron que cuidara de Georgette, su preciosa hija de dieciocho meses. El 2 de marzo de 1905 el bebe apareció muerto, una vez más las enigmáticas marcas rojas delataron un final parecido al de los otros cuatro niños que habían estado cerca de Jeanne.

Sin embargo, nadie sospechó nada, los llantos de Jeanne se confundían con los de los padres de Georgette.

¿Qué estaba pasando en Montmartre? La mortalidad infantil era alta en París pero en aquel barrio superaba todas las expectativas.

Contra todo pronóstico Jeanne siguió trabajando de niñera, en este caso con Suzanne, una preciosa niña de tres años hermana de la fallecida. A los pocos días sucedió lo inevitable y la pequeña amaneció muerta en su camita, huelga comentar que Suzanne mostraba las fatídicas señales rojas en su frágil cuello. Los rumores circularon raudos por las calles y plazas de Montmartre, todos empezaron a hablar de la macabra relación entre Jeanne y los niños muertos, ya eran seis y esa cifra cubría de sospechas a la niñera. Bien es cierto que otras muertes acontecidas por enfermedad en el barrio disimulaban de alguna manera aquel episodio violento. Esto sumado a la ignorancia de las gentes, posibilitó que Jeanne volviera a trabajar cuidando en esta ocasión a los niños de otros familiares.

El 25 de marzo de ese mismo año se pudo ver a la pequeña Germaine sufrir repentinas convulsiones y espasmos cada vez que se quedaba a solas con su tía Jeanne. En dos ocasiones superó los ataques pero a la tercera falleció, y como ustedes se pueden figurar, unas visibles marcas rojas rodeaban la garganta de la niña. Este suceso terminó por indignar a todo el mundo que ya acusaba sin tapujos a esa mujer convertida en ogro contemporáneo. El día en el que se enterró a Germaine una noticia impactó entre los vecinos, Marcel el único hijo que quedaba vivo de Jeanne, había muerto de idéntico modo a los anteriores. Era la terrible forma que la atormentada niñera había utilizado para disipar cualquier duda sobre ella, intentado de ese modo, demostrar que lo que estaba sucediendo en Montmartre no era más que una terrible epidemia que azotaba en exceso la vida de los niños ajenos y propios de Jeanne Weber. Este hecho concedió una breve tregua en la vorágine de acontecimientos.

La joven, cual alma sin descanso, pidió que se le concediera la oportunidad de seguir trabajando a fin de calmar su innegable pesar. El 5 de abril su cuñada tuvo que salir de compras y confió a la triste Jeanne la custodia de su hijo Maurice de tan solo diez meses de edad. A su vuelta contempló horrorizada cómo el bebé se debatía entre la vida y la muerte en medio de una evidente asfixia. En el cuello de la criatura estaban impresas las marcas rojas ya conocidas. No había duda, Jeanne Weber era una asesina de niños.

El suceso circuló como la espuma por la vecindad, cientos de personas salieron a las calles dispuestas a linchar a la estranguladora de rostro dulce. La actuación policial impidió que la Weber muriera en el escenario de sus crímenes.

Fue llevada ante el inspector Coiret, el sagaz policía ató todos los cabos del espeluznante caso. Poco a poco, surgieron los nombres de todos aquellos niños fallecidos mientras eran cuidados por la supuesta infanticida. Acusada formalmente de asesinato esperó en la cárcel durante algunos meses el juicio que presuntamente la conduciría a la guillotina.

El 29 de enero de 1906 se inició la vista pero, para asombro de todos, incluido el juez, alguien cambió el signo de los acontecimientos, me refiero al eminente doctor León Thoinot quien, en un alarde de verbigracia, expuso sus argumentos científicos sobre la muerte sufrida por los pequeños. Aseguró con vehemencia, que aquellos fallecimientos solo se podían atribuir a causas naturales seguramente relacionadas con una extraña e ignorada forma de bronquitis. En cuanto a Jeanne explicó que la pobre mujer estaba simplemente trastornada o embrujada, (eso dejaba en muy mal lugar a este supuesto hombre de ciencia). En definitiva, Jeanne, según él era más inocente que un ángel y solo la casualidad había dejado a su alrededor tantas muertes. El discurso del doctor Thoinot fue tan convincente que la presunta asesina fue absuelta y excarcelada inmediatamente. Contento por su éxito y popularidad Thoinot publicó las conclusiones médicas del caso en una prestigiosa revista científica, mientras Jeanne, más famosa que nunca, vio, con cierto placer, como su nombre era reflejado en los periódicos parisinos.

La ciudad de la luz se conmovió ante unos sucesos para los que no hallaban explicación. Unas marcas rojizas en el cuello de las víctimas, una joven presa de los nervios... y poco más.

Sin embargo, en París no había sitio para ella, sus antiguos vecinos no la querían cerca y la gente murmuraba demasiado. En consecuencia, decidió aceptar una proposición de trabajo que llegó desde la campiña francesa.

En la región de Indre vivía apaciblemente la familia Bavouzet. Durante algunos meses todo transcurrió con absoluta normalidad, pero el 16 de abril de 1907 una convulsión sacudió el hogar de los Bavouzet. Auguste, su hijo de nueve años apareció muerto con unas misteriosas señales rojas en su cuello. En principio los médicos pensaron en la meningitis. No obstante, la noticia se supo en París donde seguían muy pendientes de cualquier actuación realizada por la Weber. La muerte de Auguste desató la ira de la opinión pública, el escándalo fue notorio. Algunos abogados se ofrecieron gratis para defender a

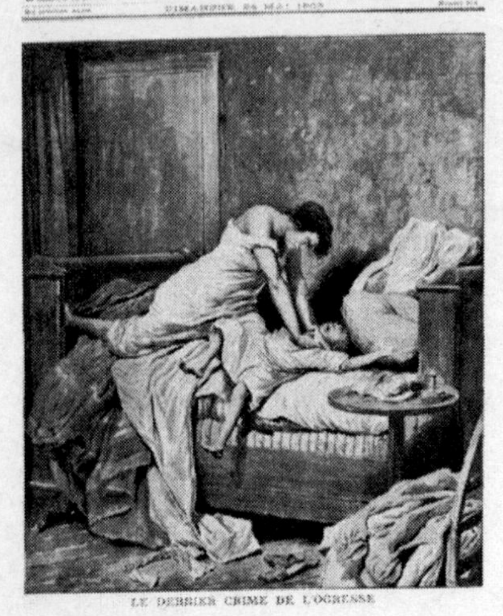

Los medios de comunicación de la época recogieron en sus páginas los terribles crímenes y la alarma social que causó el asunto. No en vano, cuando fue apresada, el pueblo se echó a la calle con ánimo de ajusticiar a la psicópata.

Jeanne, el propio doctor Thoinot investigó el caso concluyendo que la muerte del niño se debía a unas fiebres que los médicos provincianos no habían sabido diagnosticar. Incomprensiblemente, la niñera volvió a librarse de una clara condena. A estas alturas cualquier psiquiatra hubiese aventurado la posibilidad de un brote sicótico, un trastorno de la personalidad... Sin embargo, en esos años difíciles todavía para la investigación médica, era preferible mirar a otro lado y huir del grave problema al que se enfrentaban los especialistas de la época.

Jeanne recibió una última oportunidad. En esta ocasión, el doctor Georges Bonjeau, quién a la sazón era presidente de la Sociedad Protectora de los Niños, la ofreció un trabajo en el orfanato de Orgeville. Era como meter un ogro en el mundo de los niños. Al poco fue pillada *in fraganti* cuando intentaba estrangular a un pequeño de seis años. El hecho fue silenciado por un avergonzado doctor Bonjeau que despidió a la Weber con horror.

Jeanne, más confusa que nunca, regresó a París para trabajar de prostituta alojándose en una pensión de mala muerte. Aún era hermosa, pero sin familia y sin amigos. Ese mismo año estranguló al hijo de la patrona. Por fortuna la sorprendieron con el vestido y la cara llenos de sangre. El doctor Thoinot no tuvo por menos que reconocer que aquello era un cruel asesinato. Con todo siguió defendiendo su tesis anterior espetando que a Jeanne la habían trastornado entre todos y que aquel era su primer infanticidio. Una vez más ningún juez condenó a Jeanne Weber, pero en esta ocasión fue internada en el sanatorio mental de la isla de Nueva Caledonia donde falleció en 1909 víctima de sus propias manos. Nadie supo cómo lo había conseguido, pero lo cierto es que Jeanne Weber se estranguló así misma mientras vomitaba espuma por la boca. Así acabó la desesperada existencia de la estranguladora de París.

Henry Desiré Landru
Francia, (1869-1922)

UN BARBA AZUL SEDUCTOR DE VIUDAS

Número de víctimas: 11 probadas, pero según la policía fueron entre 179 y 300.
Extracto de la confesión: *"Admito que posiblemente las engañé con fines lucrativos, pero créanme que soy inocente, ni siquiera se encender correctamente un fuego"*.

En la memoria colectiva de los pueblos perduran, para sonrojo de los mismos, las acciones despiadadas de sus psicópatas más célebres. En el caso de Francia, es sin duda, la figura de Henri Desiré Landru la que suscita mayor número de comentarios casi siempre contradictorios; unos lo defienden, otros lo adoran y los más tuercen el gesto ante el recuerdo del que posiblemente sea el mayor asesino en serie del país galo.

Los crímenes de Landru han llamado y llamarán la atención de todo aquél que pretenda introducirse en el mundo de la investigación criminológica. Su comportamiento educado unido a su ironía y falta de escrúpulos conmovieron a una sociedad, ya de por sí aterrorizada por los millones de muertos caídos en los campos de batalla de la Primera Guerra Mundial. En efecto, Landru actuó impunemente en ese contexto bélico; sus víctimas fueron preferentemente las viudas que iba dejando aquel conflicto que debía acabar con todos. Eso es quizá lo que convierte a Landru en un personaje odioso, ya que con una frialdad propia de latitudes polares, sedujo, mató y quemó a pobres mujeres con el fin de arrebatarlas los ahorros que habían logrado reunir en aquel tiempo de incertidumbre. Mientras tanto mantenía una doble vida sin que nadie se percatara de las atrocidades que estaba cometiendo por diferentes escenarios de París y Gambais. Su indolente mujer y sus cuatro hijos nunca sospecharon que su esposo y progenitor estaba entrando por méritos propios en la galería más oscura del crimen universal.

Landru era el perfecto psicópata, ninguna enfermedad mental lo atenazaba, sus matanzas eran premeditadas y cuando las cometía ningún remordimiento nublaba su mente. Sí amigos, nos encontramos ante una estampa característica del mal, y me atrevo a decir que ese mal disfrutó de su esencia más pura en el alma de un hombre al que todos conocieron como: "El Barba Azul de París". Esta es su increíble historia, poco apta para la tranquilidad de corazones enamoradizos y solitarios.

Henry Desiré Landru nació en el corazón de París el 12 de abril de 1869. Hijo de una modesta familia obrera, su padre, hombre recto y religioso, trabajaba como fogonero en una fundición industrial. Por su parte, la madre conseguía algún dinero extra como costurera; en todo caso el clan Landru apenas tenía recursos económicos para sobrevivir en la luminosa ciudad de los impresionistas.

Henry creció bajo los atentos cuidados de sus padres; el niño no fue mal estudiante, su vivaz inteligencia hizo que prosperara en algunas disciplinas académicas,

La Primera Guerra Mundial estaba acabando con la vida de muchos soldados y sus viudas, solitarias y ávidas de cariño, no dudaron a la hora de arrojarse a los brazos de Landru. Él tenía la fórmula para acabar con sus penas...

pero el joven tenía algunos defectillos, el principal de ellos era una obsesión creciente por el dinero y la buena vida, por eso, no es de extrañar que el ambiente familiar fuera cada vez más opresivo para la ambición desmedida del latente psicópata.

En 1889 se vio forzado al matrimonio por el inesperado embarazo de su prima hermana Marie Remy. Esta pobre mujer, aunque no murió a manos de su marido, fue posiblemente, la primera víctima de Landru. Con ella tuvo cuatro hijos a los que también engañó durante toda su vida.

Henry intentó prosperar como trabajador honrado, pero sabido es que los asalariados lo tienen francamente complicado si su deseo es acumular riqueza en pocos años.

Y es que los soldados iban cayendo en el frente uno tras otro, dejando suculentas sumas de dinero a sus desconsoladas mujeres. Sumas a las que el psicópata Landru iba a dar buen uso.

La mente de Landru comenzó a gestar malévolos planes para mejorar la fortuna que se negaba a los proletarios. Mientras preparaba un magnífico futuro, seguía dando tumbos por diferentes oficios: vendedor de muebles o de coches de segunda mano, administrativo y guardián de un garaje, cosas de poca monta para alguien que pretendía ser rico y popular en aquella sociedad donde alboreaba el siglo XX.

En 1909 una luz se encendió en el truculento cerebro de Landru, todo sucedió mientras leía con parsimonia los anuncios de contactos inscritos en la prensa parisina. De repente, se fijó en uno de los mensajes. En el texto una desconsolada viuda buscaba la pareja ideal que le proporcionara amor y estabilidad económica, a cambio ofrecía su renta y patrimonio inmobiliario.

Landru leyó varias veces el anuncio. ¡Pero cómo no se le había ocurrido antes! Eso era lo que andaba buscando desde siempre, una forma fácil de hacerse con miles de francos a cambio de un poco de amor y comprensión, solo eso. Desde luego si las viudas de Francia querían consuelo, Landru era el candidato idóneo.

Con nerviosismo trazó su primer plan fraudulento, el objetivo estaba claro, conquistar la confianza de pobres viudas y despojarlas de su dinero a cambio de promesas vanas e infundadas. A los pocos días insertaba un anuncio en un periódico de Lille. La respuesta fue inmediata y pronto se citó con su primera víctima, madame Izoret, de ella obtuvo la bonita suma de 20.000 francos. Por su parte, Henry aportó escrituras y pagarés tan falsos como los nombres que iría utilizando a lo largo de su peripecia criminal. La viuda Izoret no tardó en desconfiar del todavía inexperto Landru. Con los papeles fraudulentos se personó en una comisaría donde denunció la presunta estafa. Los inspectores detuvieron al perplejo aspirante a estafador y, posteriormente, fue condenado a tres años de cárcel. En ese periodo carcelario nuestro protagonista, lejos del arrepentimiento, ideó nuevas formas que mejoraran sus futuros timos. Estaba claro que lo habían cogido por permitir que la viuda lo denunciase, si la hubiese eliminado no habría tenido tantos inconvenientes y ahora disfrutaría como un sultán del botín. Por tanto, una vez saliera de la penitenciaría sería más cuidadoso preparando sus engaños a viudas, cambiaría su identidad tantas veces como actuaciones delictivas tuviera. De esa manera la policía lo tendría muy difícil si quería pillarlo.

Por desgracia para Landru, los gendarmes franceses lo detuvieron en cinco ocasiones más, todo le salía al revés. Su educación y talante se mantenían intactos, nadie de su entorno sospechaba que él pudiera ser un delincuente de poca monta. Su familia permanecía ignorante de todo lo que estaba ocurriendo, por lo menos su esposa así lo hacía ver.

Entre 1909 y 1914 Landru fue apresado en seis ocasiones; su madre murió, a buen seguro, por los disgustos que la ocasionaba su perdido vástago, lo del padre fue peor, pues avergonzado por tener un hijo delincuente y encima especializado en la estafa de viudas, no pudo soportarlo más y se ahorcó de un árbol en el Bois de Boulogne. Ajeno a la desgracia familiar que estaba ocasionando, Landru siguió perfilando fechorías sin inmutarse, confiaba en que algún día la diosa fortuna sonreiría su causa.

En 1914 escapó a una condena de varios años por su último fraude. La falta de pruebas, sus diferentes personalidades y, sobre todo, el estallido de la guerra entre Alemania y Francia, posibilitaron que Landru huyera de la pena impuesta.

Para mayor regocijo suyo, miles de franceses partieron al frente dejando a otras tantas esposas solas y a la espera de noticias que no siempre eran buenas, dado que por entonces la mortandad en los combates era extrema. Eso elevaba como la espuma el censo de viudas dando nuevas oportunidades al siempre dispuesto Landru que volvió a publicar anuncios en la prensa gala. El de mayor impacto fue uno que apareció en *Le Journal* de París, donde se podía leer lo siguiente: "Viudo, dos hijos, cuarenta y tres años, solvente, afectuoso, serio y en ascenso social, desea conocer a viuda con deseos matrimoniales". Las respuestas no se hicieron esperar y cientos de mujeres angustiadas contestaron al llamamiento de aquel hombre, supuestamente integro, y dispuesto a entregar sin límites el amor que tanto necesitaban aquellas desconsoladas viudas.

La primera seleccionada fue Jeanne Cuchet, una hermosa mujer de treinta y nueve años con un hijo de diecisiete y unos 5.000 francos ahorrados. Landru, más meticuloso que nunca, cambió su nombre por el de Raymond Diard, adoptó el oficio de inspector de correos y alquiló una casa en el típico barrio parisino de Chantilly. En el piso se podía contemplar una enorme y desproporcionada chimenea que pronto trabajaría a pleno rendimiento.

Como en otras ocasiones, el montaje del timador se empezó a descubrir. La señora Cuchet recibió ciertas informaciones que la ponían en antecedentes sobre su pretendiente Diard. Aún conociendo que el supuesto inspector postal tenía un pasado turbio que se llamaba Landru y que tenía familia numerosa, decidió darle una oportunidad, al fin y al cabo, los hombres escaseaban y Henry parecía tan galán y educado que, a buen seguro, dijo, todas esas mentiras eran por timidez. ¡Pobre incauta!

En enero de 1915 la vecindad dejo de ver a madame Cuchet y a su joven hijo, en cambio si contemplaron una densa humareda negra que salía por la chimenea de la casa donde habitaban. En esos momentos nadie pensó nada grave sobre la vida de la viuda y su vástago, a nadie se le ocurrió preguntar nada sobre las extrañas desapariciones. Estaban en guerra y bastante tenían con los problemas que su ejército estaba sufriendo en los frentes de batalla.

Al poco apareció por el barrio el propio Landru sin ofrecer muchas explicaciones sobre la inesperada marcha

Lo cierto es que no era un hombre agraciado, pero sus exquisitos modales fueron más que suficientes para atraer la atención de las solitarias damas.

de su cortejada, seguramente la relación se rompió y por eso Landru desmontaba la casa vendiendo los pocos enseres acumulados en ella.

Los vecinos no tardaron en olvidarse de aquellos ocasionales inquilinos. Lo cierto es que Landru había asesinado a madame Cuchet y a su hijo, para posteriormente, descuartizarlos y quemarlos en la chimenea de la vivienda. Una vez eliminadas las pruebas del delito, preparó un nuevo crimen, en esta ocasión alquiló una casita en las afueras de París. Hasta ese lugar llevó a madame Laborde-Line, mujer que corrió la misma suerte que los anteriores.

Landru sonreía feliz, por fin había encontrado el método para enriquecerse limpiamente, y encima rendía homenaje a la memoria de su padre trabajando como fogonero tras perpetrar sus horrendos asesinatos. Pero aquello de alquilar casas era un asunto muy pesado, dado que debía dar demasiadas explicaciones al casero y a los nuevos vecinos. Por tanto, el psicópata optó por establecer su fábrica de la muerte en un sitio fijo. Eligió Gambais, un bello paraje sito a unos 50 kilómetros de París y conectado a la capital por un buen servicio de ferrocarril. En aquel pueblo alquiló una hermosa casa de piedra en la que instaló una caldera digna de Pedro Botero. Tras comprobar que el artefacto funcionaba a las mil maravillas, comenzó el particular trasiego de viudas hacia las llamas de la vida eterna. Se calcula que Landru conoció o asesinó a más de trescientas mujeres en el periodo 1914-1918, bien es cierto que solo fue juzgado por los once crímenes que se pudieron demostrar.

Durante cuatro años Landru se citó con viudas casi siempre cuarentonas, aunque en alguna ocasión trabajó veinteañeras y más jóvenes. Su aspecto no es que fuera el de un galán cinematográfico, más bien lo contrario, una de sus víctimas dijo esto poco antes de ser asesinada: "No sé lo que hay en él, pero me asusta, su mirada ceñuda me angustia. Parece el diablo". Si nos atenemos al temor de esta señora, ¿qué tenía Landru que tanto fascinaba? Viendo fotos de la época observamos a un Landru de mirada penetrante, casi hipnótica, barba y bigote espesos, así como cejas muy pobladas, además era calvo, bajito y carente de músculos. En realidad presentaba un aspecto siniestro que lograba condicionar el ánimo de sus víctimas. Sin embargo, en aquella época Landru pasaba por ser un hombre recto, serio, de modales exquisitos, educado, valores que gozaban de muy buena consideración entre las damas. Esos factores suplían con creces los defectillos que pudiera presentar ese personaje tan lamentable.

Landru no tenía escrúpulos, mataba por dinero, se supone que cada crimen le reportó una media de 3.000 francos. No obstante, jamás acumuló suma alguna, pues era hombre que gustaba de placeres inmediatos y carísimos. Por tanto, a medida que se apropiaba del dinero ajeno lo fundía en sus caprichos, así como en atender a su familia original a la cual dispensaba todas las atenciones de un espléndido y amantísimo padre y esposo. A su mujer en concreto, la cubrió de joyas, eso sí, todas usadas, pero a Marie nunca se la ocurrió preguntar por la procedencia de las mismas.

Mientras tanto, las pobres viudas seguían viajando confiadas a Gambais dispuestas a pasar una maravillosa luna de miel en la campiña francesa. La chimenea pétrea de aquella casa, llamada Le Ermitage por los lugareños, no paraba de soltar humo; daba igual la estación climatológica del año, la humareda no cesaba ni en verano, ni en invierno. Lo que daba para algún comentario jocoso por parte de los vecinos.

Landru viajaba a Gambais en tren, sacaba dos billetes aunque diferentes: el suyo era de ida y vuelta, mientras que el de la afectada era tan solo de ida. Con eso el asesino se ahorraba un franco, y si hablamos de trescientas viajeras, pues ¡caramba!, era un capitalito al que Landru no pensaba renunciar. Finalmente, la suerte dejo de sonreír a este energúmeno, eran demasiadas desapariciones para que nadie sospechara nada grave. La guerra por desgracia lo había tapado todo en aquellos años, pero el conflicto terminó y muchas personas empezaron a buscar a sus desaparecidos.

En 1918 los familiares de madame Colombe enviaron una carta al alcalde de Gambais, solicitando cualquier tipo de noticia sobre el paradero de su pariente a la que se había visto en ese pueblo en compañía de un tal Dupont. Al poco, el sorprendido edil recibió una epístola parecida, salvo que en esta ocasión unos preocupados familiares pedían algún dato sobre Celestine Buisson a la que se había visto paseando por Gambais en compañía de un tal Freymet. Lo que llamó poderosamente la atención del alcalde fue la coincidencia que ofrecían las dos cartas sobre el aspecto físico del hombre que acompañaba a las desaparecidas. No obstante, era difícil averiguar algo concreto, pues no existía nadie con esos apellidos entre el vecindario de Gambais.

En efecto, Landru había alquilado la casa Ermitage con otro nombre falso, pero el cerco había empezado a estrecharse sobre él. Las denuncias sobre desapariciones se incrementaron y la policía, en especial el inspector Belin, se pusieron manos a la obra en la tarea de encontrar una solución para ese caso desconcertante.

En los primeros meses de 1919 cincuenta gendarmes rastreaban París intentando averiguar el destino que habían sufrido las damas desaparecidas. Belin fue atando cabos, pero la complejidad del caso y la cantidad de nombres utilizados por Landru parecían imposibilitar cualquier avance esclarecedor. Por fortuna, el 12 de abril de 1919 mademoiselle Lacoste, familiar de una desaparecida, se topó con Landru en una tienda de porcelanas. La joven sobresaltada por el encuentro disimuló cuanto pudo y escapó con toda rapidez hacia el despacho del inspector Belin. Este comprobó en la tienda la ficha de comprador dejada por Landru que ahora se llamaba monsieur Guillet, domiciliado en la rue de Rochechouart, y sin más, se acercó a la vivienda donde supuestamente moraba el mayor asesino de Francia.

Los crímenes del mayor asesino en serie del país galo han sido reflejados en múltiples obras, destacando su doble personalidad: hombre educado y de exquisitos modales, y terrible asesino capaz de acabar con la vida de las desconsoladas viudas, y de hacer desaparecer los cuerpos mutilados en una chimenea que durante años jamás estuvo apagada.

Belin esperó pacientemente la llegada de Landru, una vez cara a cara, lo detuvo por las supuestas desapariciones denunciadas. Landru, que se encontraba en compañía de su nueva novia, una actriz de diecinueve años llamada Fernande Segret, se limitó a decir con frialdad absoluta que era inocente de todo cargo y que él no sabía nada sobre las acusaciones formuladas contra su persona. A pesar de eso, los gendarmes lo detuvieron sin contemplaciones mientras Henry intentaba resistirse, la escena se transformó en patética cuando el detenido empezó a cantar un aria de ópera a su amante. Esta entre lágrimas despidió a su amor, seguramente, en ese momento no podía imaginar que ella hubiese sido la siguiente en la lista macabra de Barba Azul.

Una vez en la prefectura descubrieron en un bolsillo del traje de Landru una agenda negra donde se pudo

Henri Desiré Landru ha inspirado numerosas novelas, en donde su caracter despiadado y frío ha sido reflejado desde distintas perspectivas, dejando siempre un hilo de terror en cada página.

comprobar la verdadera identidad del detenido. Pero lo peor estaba por llegar. A medida que el inspector Belin fue pasando páginas descubrió, con estremecimiento, lo que había ocurrido en la vida de Landru a lo largo de los últimos cuatro años. En primer lugar surgieron once nombres, cuatro de los cuales, coincidían con otras tantas desapariciones confirmadas. En otra hoja se reflejaba otras doscientas treinta y ocho relaciones mantenidas con viudas. La meticulosidad de Landru hizo que incluso plasmara en papel el precio de los billetes de tren a Gambais. Todo estaba en la agenda, nombres y fechas.

Ningún detalle escapaba a Landru, ni siquiera anotar iniciales que discriminaran a viudas ricas y pobres.

El 29 de abril los gendarmes realizaron una búsqueda por la villa Ermitage. Lo que allí descubrieron era digno de una película de terror: doscientos noventa y cinco huesos humanos semicarbonizados, un kilo de cenizas y cuarenta y siete piezas dentales de oro guardadas en un cajón. Además, se encontraron los cadáveres de dos perros que habían sido estrangulados por Landrú y que posteriormente se demostró que pertenecían a una de sus víctimas. También se confirmó que el psicópata había vendido ropas, muebles y enseres de las viudas.

El juicio duró más de dos años, Henry Desiré Landru fue acusado por once asesinatos, los únicos que se pudieron demostrar al haberse visto al inculpado en compañía de sus víctimas antes de que se evaporaran. El resto de los presuntos crímenes no se pudo comprobar, aunque la policía estipulo que los crímenes de Landru estarían entre ciento setenta y nueve y trescientos.

A lo largo del proceso Landru intentó, y en ocasiones consiguió, ganarse a la opinión pública. Su cortesía y refinados modales cautivaron a más de uno. Él siempre se declaró inocente. En los salones de baile se comentaban las incidencias del juicio y se bailaba al son de alegres cancioncillas que hablaban del viejo Barba Azul de París. Landru recibió regalos y no pocas peticiones de matrimonio.

A pesar de tanta fama inmerecida, los jueces no variaron un ápice su conducta y el 30 de noviembre de 1921 Henry Desiré Landru era encontrado culpable por la muerte de once personas y, en consecuencia, según las leyes francesas de la época, condenado a morir en la guillotina. El 25 de febrero de 1922 fue guillotinado en la cárcel de Versalles sin dejar de gritar su inocencia.

Cuarenta y un años más tarde se descubrió por casualidad una carta de Landru en la que se confesaba autor de los crímenes, los peritos calígrafos confirmaron la autenticidad de la misma; uno de los fragmentos decía así: "Los testigos son tontos. Yo lo hice, maté y quemé a esas mujeres en el horno de mi casa".

Por cierto, la vida de este psicópata fue llevada al cine en los años sesenta del siglo XX, un film dirigido por Claude Chabrol bajo el título *Landru*. Poco tiempo más tarde se suicidaba una anciana llamada Fernande Segret, dejando una nota en la que se podía leer: "Aún le amo y sufro demasiado. Me quitaré la vida".

Fritz Haarmann
Alemania, (1879-1925)

EL CARNICERO DE HANNOVER

Número de víctimas: 20 - más de 100 (ni el propio acusado supo decir cuántos).
Extracto de la confesión: *"Condénenme a muerte. Solo pido justicia. No estoy loco. Es cierto que suelo entrar en un estado del que nada sé, pero eso no es locura. Líbrenme de esta vida que es un tormento. No pediré clemencia ni apelaré." "Pongan en mi lápida: Aquí descansa Haarmann, el exterminador".*

Acabo de llegar a casa con la compra del día, estoy contento porque he encontrado unos jugosos filetes de ternera con lo que pienso darme un festín. Son fresquísimos y su pinta es realmente imponente. Por fortuna se con certeza cuál es la procedencia de la carne en cuestión, nada menos que Galicia, sin duda será una ternera magnífica y sus proteínas me vendrán muy bien para escribir este capítulo. Pero ¡diablos! si es el episodio dedicado a Fritz Haarmann, ¡que horror! Con presteza inusitada decido dejar la filetada para mejor ocasión y apuesto por una saludable ensalada, ustedes van a entender enseguida el por qué de esta actitud, no precisamente vegetariana.

Vamos a retroceder unos cuantos años en el tiempo hasta la Alemania de entreguerras. Tras su derrota en la primera conflagración mundial, el país no marchaba nada bien, a los millones de muertos generados por el conflicto se sumaban una grave crisis económica, huelgas, hambrunas y, sobre todo, la anarquía social que estaba abocando a la nación al caos más absoluto.

Las ciudades germanas parecían los escenarios más grotescos de las novelas góticas, los comunistas operaban en las vanguardias obreras que se enfrentaban a una desmoralizada policía. El estraperlo manejaba cifras asombrosas en un mercado desabastecido de dinero y alimentos. En ese trágico contexto aparece la figura de Fritz Haarmann, un carnicero, un ogro, un vampiro, todos los apelativos más siniestros se pueden utilizar a la hora de hablar de este espécimen. Sin embargo, nadie puede negar que este perturbado fuera también una víctima de esa época tan oscura. Cualquier psiquiatra tendría para varios años si pretendiera realizar su doctorado basándose en las atrocidades cometidas por Haarmann. La mente de este criminal fue capaz de concebir un disfraz de carnívoro depredador para su dueño. Una bestia del averno que anduvo suelta por las calles de Hannover durante cinco años sin que nadie lo capturase mientras decenas de adolescentes se convertían en su presa.

Nuestro protagonista nació en Hannover en el año 1879. Fue uno de los hijos menores del matrimonio Haarmann, una familia de clase modesta y con muchos problemas internos de convivencia lo que provocaba que, en lugar de buscar soluciones prácticas, los dos cónyuges dedicaran buena parte del día a ingerir alcohol para luego enzarzarse en peleas muy violentas de las que hacían partícipes a sus hijos. En muchas ocasiones, el pequeño Fritz recibió los golpes de su brutal padre, para, posteriormente, ser protegido por su madre, la cual lo trataba como si fuese una más de sus hijas, siendo vestido como niña mientras jugaba con las muñecas de sus hermanas. Estos detalles enervaban aún más al colérico padre quien volvía a pegar con rabia a su vástago ante la mirada perdida de su esposa. Aquel infierno era insoportable para las tres hermanas mayores de Fritz, las cuales se marcharon muy pronto del hogar para convertirse en prostitutas de mal vivir y peor beber. Finalmente, ante la personalidad poco varonil de Fritz, el progenitor decidió enviarlo a una academia militar cuando tenía tan solo dieciséis años. Este asunto terminó por romper la familia y Fritz odiaría a su padre toda su existencia.

Por supuesto, que tardó muy poco en ser expulsado de aquel ambiente castrense, y con diecisiete años fue detenido por acosar sexualmente a niños menores que él mismo. Fritz era homosexual y también padecía fuertes crisis epilépticas, esto en el siglo XXI no supone mayor problema, pero en el siglo XIX te mandaba directamente al manicomio, lugar donde Fritz recibió toda suerte de terapias a fin de curarlo en sus perversiones. Lo cierto es que durante su estancia en el sanatorio mental su comportamiento fue ejemplar, no sabemos si por el miedo a los psiquiatras o por las descargas eléctricas que sufría con frecuencia. Sea como fuere, en 1903 recibió el alta médica y, feliz como nunca, salió para empezar una nueva vida.

A los pocos años estalló la guerra, para entonces Fritz Haarmann ya había acumulado una gran lista de pequeños delitos consistentes en hurtos, contrabando y alteraciones del orden público, como es obvio, también había sido fichado por perseguir niños adolescentes con fines obscenos. Huelga comentar que Haarmann no sintió la

Sin lugar a dudas, Fritz Haarmann ha sido uno de los criminales más sádicos de todos cuantos pueblan esta galería de condenados. En una época en la que la carne escaseaba, él adivinó el método a seguir para contar siempre con suficientes existencias…

llamada de la patria, si en cambio aprendió en esos años de contienda el noble oficio de carnicero dedicándose al estraperlo de carne. En esa etapa, cerdo y caballo eran los animales que con más frecuencia entraban en el circuito negro del comercio alimenticio.

En 1918 mientras Alemania se empobrecía con la humillación de haber perdido la guerra, Fritz Haarmann y su banda saneaban sus cuentas vendiendo carne de forma ilegal a todo aquel que estuviera dispuesto a desembolsar una buena cantidad de marcos.

Hannover seguía siendo la ciudad en la que residía; el carnicero había encontrado una modesta buhardilla en el barrio de los ladrones, reducto urbano donde se hacinaban todos aquéllos que se podían considerar miembros de la marginalidad social. Y es que una vez terminado el conflicto las cosas empeoraron para Fritz, la carne escaseaba incluso para los delincuentes. En consecuencia los ingresos comenzaron a tambalearse. No obstante, a pesar de la modestia, aquella buhardilla de Neustrasse resultaba muy coqueta y luminosa, por si fuera poco, sus ventanas daban a las riberas del río Leine con vistas bucólicas y ensoñadoras, Fritz al menos quería imaginar eso, pero en verdad el sitio más se podía parecer a un estercolero que a otra cosa. En fin la imaginación es libre y cada uno la utiliza como le parece.

En 1919 se iniciaron las cacerías de este animal. Su cómplice y amante Hans Grans fue testigo mudo de las escenas horrendas que tuvo que contemplar. Nadie sabe cómo empezó todo, lo único que podemos deducir, tras estudiar los informes policiales, es que sobre septiembre de ese año Fritz Haarmann convenció a su primera víctima para que lo acompañase a su buhardilla a fin de pasar la noche y comer caliente. El joven de diecisiete años llamado Friedel Rothe tuvo el dudoso privilegio de ser el que inaugurara la macabra relación de crímenes perpetrados por el carnicero. Curiosamente, la policía de Hannover estuvo a punto de parar aquella vorágine sangrienta cuando los padres del joven denunciaron su desaparición y alguien aseguró ante los inspectores que había visto al chico en compañía de Fritz, muy conocido por la policía al ser confidente suyo. El rastreo posterior en el domicilio de Haarmann no pudo ser más chapucero, ya que pasó inadvertida para la policía la cabeza del muchacho envuelta en papel de periódico y que tan solo había sido escondida tras la puerta de la cocina. De ese modo, el asesino de tantos chicos escapó a la justicia casi sin inmutarse. Un error lamentable que propiciaría la muerte de muchos adolescentes. Tras cometer el primer asesinato, este ogro ya no pudo reprimirse más, el demonio andaba suelto por Hannover.

Como he dicho la posguerra en Alemania resultó lamentable, miles de vagabundos transitaban el país buscando algo que llevarse a la boca. Muchos de los nuevos mendigos eran simples muchachos de corta edad desarraigados y sin familia, bien por la pobreza o por el destrozo ocasionado durante la guerra. Cientos de chicos se amontonaban en las estaciones ferroviarias de las ciudades alemanas, su única ambición era la de poder trabajar, comer y dormir como cualquier ser humano. Las estaciones se convertían, no solo en improvisados alojamientos, sino también en auténticas oficinas de empleo donde acudían empresarios y contratistas para reclutar mano de obra barata.

Fritz Haarmann visitaba con frecuencia la estación central de Hannover; su condición de chivato policial le había echo merecedor de una placa que lo acreditaba como amigo de la ley y la justicia. Para Fritz esto era muy importante por considerar que la plaquita en cuestión lo elevaba a la categoría de ciudadano notable. Sin embargo, su lado oscuro doblegó cualquier atisbo de supuesta buena conducta y utilizó la identificación proporcionada por la policía como llave hacia los acantilados del mal. En efecto, Fritz Haarmann eligió aquel escenario donde llegaban y salían trenes repletos de gente desesperada como campo de operaciones. Su acreditación policial le servía para entrar en contacto con jóvenes desprotegidos de doce a dieciocho años de edad. El asesino se dirigía a ellos con total normalidad comunicándoles que era inspector de policía y que no temieran nada, pues él en su piadosa bondad les daría alojamiento y cena mientras realizaba las gestiones oportunas para que pudieran trabajar como hombrecitos decentes. La angustia de los muchachos quiso ver en ese hombre de aspecto seguro y de complexión corpulenta a un improvisado padre que por lo menos les ofrecía una plato de comida y la posibilidad de dormir bajo techo al menos una noche.

Por desgracia, el destino desprecia en ocasiones a los débiles, y estos chicos tan necesitados de todo seguían al émulo del flautista de Hamelin como si de ratoncitos se tratase.

Una vez llegados a la buhardilla de Neustrasse, Haarmann cerraba la puerta y con la ayuda de su cómplice Hans, violaba impunemente a los muchachos sometiéndolos a las más terribles vejaciones, entonces despertaba el instinto depredador del monstruo y con frialdad impropia de humanos desgarraba con sus propios dientes la arteria carótida y la tráquea del infortunado.

De esa manera tan cruel, acaso propia de tiempos remotos, terminaban sus días las víctimas del carnicero. Tras las dentelladas los cuellos quedaban prácticamente seccionados y Haarmann conseguía los mayores placeres. Era su particular orgía gore.

Consumado el asesinato los dos socios se entregaban a la tarea de cortar en pedazos los cuerpos yermos, los deshuesaban con toda precaución y situaban vísceras y despojos en unos cubos preparados para esos menesteres, también procuraban esconder las cabezas bien envueltas para evitar las inoportunas manchas. Terminado el trabajo, Fritz salía a la mañana siguiente con sus recipientes llenos de carne fresca y jugosa, gritaba por las calles del barrio la oferta del día: “carne de caballo a buen precio, tengo carne fresca y barata". Los vecinos salían de sus casas dispuestos a comprar aquellos trozos tan frescos como económicos. Fritz vendía la mercancía en cuestión de minutos, dedicando el resto de la jornada a beber en compañía de su amigo Hans. Por la noche una nueva caza, una nueva víctima para el carnicero de Hannover. Con los años el amante de Fritz se incorporó a la fiesta, la seguridad de sus actuaciones posibilitó que eligieran presas solo por el hecho de vestir a gusto o no de los cazadores. La impunidad era total.

Por fortuna, los psicópatas siempre caen. Quizá la sensación de poder que adquieren al acabar con sus víctimas les impide con el tiempo tomar las medidas de seguridad más nimias y eso es lo que ocurrió con Haarman.

La mañana del 17 de mayo de 1924, unos niños, curiosamente vagabundos, descubrieron una calavera mientras jugaban cerca del río Leine, rápidamente corrieron a la comisaría a dar cuenta del hallazgo. Los policías se acercaron al lugar para percatarse sobre la existencia de más calaveras y huesos humanos. Se ordenó el dragado de aquel sector fluvial y los resultados fueron terroríficos, nada menos que se recuperaron quinientos huesos humanos que, una vez ensamblados, parecían pertenecer a unos veintidós o veintitrés esqueletos de cuerpos jóvenes.

Las noticias circularon por Hannover, la policía buscaba a un asesino en serie. Pronto se desataron las especulaciones y se ataron los cabos de aquel caso tan extraño. Los agentes preguntaron con insistencia por todo el barrio en el que vivía Fritz Haarmann. Un inspector recordó que meses antes un vecino de Neustrasse había acudido a denunciar que la carne comprada a un carnicero del lugar era humana.

Sin embargo, una breve exploración visual del policía determinó que aquel trozo era de cerdo y no de alemán y, que por cierto, parecía de muy buena calidad.

El cerco se estrechaba sobre Fritz, los huesos localizados estaban muy cerca de su casa. Los vecinos comenzaron a contar lo que sabían, por ejemplo, aseguraron haber visto a Fritz en compañía de muchos jovencitos que subían con él a su buhardilla, también dijeron que durante meses el carnicero les había regalado un buen número de huesos blanquísimos, tan blancos que no parecían de caballo como Fritz afirmaba.

Las investigaciones policiales estaban dando frutos, pero todo se precipitó cuando el 22 de junio de 1924 Haarmann fue detenido por conducta inmoral, con ese pretexto los agentes entraron en la buhardilla a fin de buscar pruebas sobre su culpabilidad. En lugar de eso se toparon con la guarida de un psicópata tan descarnado como sus atormentados. Objetos personales de los muchachos, ropas que aún no habían vendido y lo peor, todas las paredes impregnadas de sangre humana, restos de vísceras, trozos de carne y osamentas. Los policías contemplaron aquello con la boca abierta, y la abrieron más cuando descubrieron algunas ristras de salchichas elaboradas al parecer de forma artesanal por Fritz y Hans. Todo aquello resultaba dantesco y adquirió tintes trágicos tras la confesión del vampiro.

En efecto, Fritz acorralado por los investigadores cantó de plano todas las fechorías cometidas, dijo que un ente desconocido tomaba posesión de su cuerpo obligándolo a perpetrar toda suerte de aberraciones y asesinatos.

Argumentó que mientras realizaba sus horribles matanzas no era consciente de lo que estaba ocurriendo. Los policías no paraban de tomar notas mientras revisaban los ficheros con los nombres de jóvenes desaparecidos.

En aquellos años se había perdido la pista de unos cien chicos cada año, lo que en principio, dadas las circunstancias del país, pasaba como algo normal, pero ahora ante ellos estaba el carnicero de Hannover y muchas denuncias de padres desesperados empezaron a ser tenidas en cuenta. Mientras tanto Fritz confesó que había ingerido y vendido carne humana, él mismo preparaba salchichas para consumo propio, despachando el resto entre la vecindad. Cuando esto se supo el escándalo estalló en Hannover, nadie quería reconocer que había comprado la carne o las salchichas de Fritz Haarmann.

Lo cierto, amigos, es que durante cinco años muchos ciudadanos saborearon la exquisita carne que aquel carnicero les vendía a precios tan económicos. Algunos se defendieron explicando que el sabor era muy parecido al de la carne de cerdo y que por eso no habían notado nada extraño.

El 4 de diciembre de 1924 Fritz Haarmann fue llevado ante los tribunales, su caso fue estudiado por relevantes psiquiatras de la ciudad. Durante los catorce días que duró el juicio más de ciento treinta testigos desfilaron ante el juez. Nunca sabremos a cuántos chicos mató el carnicero de Hannover; en principio fue acusado por veintisiete muertes confirmadas, pero el propio Haarmann reconoció, no sin dudas, que había violentado, asesinado y comido entre cuarenta y cincuenta muchachos. Algunos inspectores sospechaban que la cifra bien pudiera llegar a más de cien.

Los periódicos contaron con profusión todos los detalles del caso, el escándalo sacudió no solo a la sociedad alemana sino también a toda la Europa de posguerra. En la sala de justicia la explicación sobre los detalles más sangrientos provocaban nauseas y vómitos entre la concurrencia. Lo peor fue cuando Haarmann narró con pelos y señales cómo desgarraba con sus propios dientes el cuello de los chicos. El juez estremecido por lo que estaba escuchando ordenó que se desalojara la estancia para seguir la vista a puerta cerrada.

Fritz Haarmann desconcertó a todos, una vez más, cuando pidió a gritos que le condenasen a muerte. Ni siquiera él, ya consagrado como uno de los mayores psicópatas de la historia contemporánea, podía admitir el acabar su vida encerrado en una lúgubre institución mental, prefería morir guillotinado acabando por fin con esa vida tan negra y venenosa para tantos inocentes.

El 15 de abril de 1925 Fritz Haarmann carnicero, ogro y vampiro de Hannover, moría decapitado; en cuanto a su cómplice Hans Grans fue condenado a cadena perpetua, pena conmutada más tarde a doce años de cárcel.

La última voluntad de este supuesto humano fue que en su tumba se inscribiera el siguiente epitafio: "Aquí descansa el exterminador".

Desconozco si este deseo se cumplió, aunque créanme queridos lectores que a mí eso me da igual, pues no creo que los dioses entreguen descanso alguno a semejante salvaje.

Peter Kürten
Alemania, (1883 - 1931)

EL VAMPIRO DE DÜSSELDORF

Número de víctimas: 16, 9 asesinatos y 7 intentos frustrados.
Extracto de la confesión: *"Oí la sangre brotar a borbotones y gotear sobre el felpudo junto a la cama. Salió a chorro formando un arco justo sobre mi mano." "No era mi intención obtener satisfacción del coito, sino del asesinato"*.

La tradición gótica nos muestra al vampiro como un gran bebedor de sangre en la perentoria búsqueda de la inmortalidad. Durante siglos las leyendas centroeuropeas se mezclaron con la realidad de unos enfermos no detectados hasta años recientes. En efecto, muchos de los considerados no muertos o príncipes de las tinieblas, no fueron más que pobres enfermos mentales aquejados por una extraña dolencia denominada hematodípsia, una enfermedad más psicológica que física, donde el paciente siente una ardiente necesidad por saciar su cuerpo con la ingesta de sangre animal o humana mientras su mente desarrolla las más impulsivas sensaciones sexuales.

Lo cierto es que el cuerpo humano, qué se sepa, no genera ninguna demanda sobre aportaciones extra de glóbulos rojos, pero sabemos que algunos de los psicópatas asesinos más feroces de la historia lo han sido, precisamente, por creer que necesitaban consumir hemoglobina a litros para continuar satisfaciendo sus cuadros vitales.

Uno de los ejemplos más claros fue el de Peter Kürten, un brutal criminal que conmocionó al mundo por sus actos sádicos y crueles. La verdad es que el vampiro de Düsseldorf no mató tantas personas como otras bestias de su género; lo que realmente incita al pavor es cómo las asesinó y el placer grotesco que sintió al hacerlo.

Kürten cumple todos los requisitos del perfecto psychokiller: un ambiente familiar opresivo donde se dan cita malos tratos, violaciones, incestos, alcohol y, sobre todo, odio, un sentimiento que lo acompañará a lo largo de su vida y que será cómplice en todas sus actuaciones. Con esos factores, nada halagüeños, se fue construyendo la personalidad atormentada de uno de los asesinos más despiadados de la historia criminal, alguien que disfrutó hasta con su propia muerte.

Peter Kürten nació el 26 de mayo de 1883 en Köln, Mullheim, Alemania, en el seno de una familia extremadamente pobre en la que convivían un padre alcoholizado, violento y en paro con una sufrida esposa que *tan solo* fue capaz de traer al mundo trece hijos y poco más. Peter era el tercero de la prole y muy pronto se tuvo que acostumbrar al oscuro destino que se había preparado para él.

La familia Kürten vivía hacinada en un cuartucho donde dormían a duras penas todos los integrantes del clan. Durante sus primeros años de vida asistió horrorizado a las brutales palizas que el progenitor daba a su esposa e hijos; él mismo recibió innumerables golpes que le

Peter Kürten, «el vampiro de Düsseldorf», fue capaz de ofrecer a la sociedad una imagen de padre ejemplar y, cuando las sombras caían sobre la ciudad alemana, de cometer los más terribles actos, cuyos fatídicos protagonistas eran brutalmente asesinados.

hicieron aborrecer a ese ser dominante que incluso llegaba a violar a sus hermanas pequeñas con total impunidad.

Con ocho años de edad Kürten se escapó de casa huyendo de aquel infierno asfixiante, lo que le condujo inexorablemente a los caminos de la delincuencia. Con la gente de la calle aprendió toda suerte de habilidades para cometer pequeños hurtos que le hicieron visitar las dependencias policiales de Düsseldorf, su principal teatro de operaciones. Con nueve años conoció a un drogadicto que le inició en los secretos de la zoofilia, y lejos del lógico rechazo, el pequeño Peter descubrió un placer insospechado hasta entonces. El niño vio surgir en él todas sus psicopatías internas, comenzó a sodomizar ovejas, cabras, aves de corral… Por el momento su despierta sexualidad no contemplaba otros horizontes que no estuvieran contenidos en una granja –más tarde la cosa empeoraría.

También en esta época se inscribe un suceso extraño que nunca llegó a demostrarse con claridad, y es que según parece el joven zoofílico ahogó sin escrúpulos a dos amiguitos mientras jugaban en una balsa que flotaba por el río Rin. Como puede comprobar el lector esta pieza de museo estaba pasando de víctima a torturador, una reacción muy comprensible para los investigadores del crimen y, sobre todo, para los psiquiatras especializados en psicopatías.

Kürten fue creciendo en la marginalidad que proporcionaban las calles de Düsseldorf a finales del siglo XIX; cabe comentar, que de los cuarenta y ochos años vividos por el vampiro, la mitad los pasó en la cárcel con un total de veintiuna condenas. Como más tarde confesaría, la cárcel le había hecho odiar aún más al género humano; en ella se trató con la peor calaña, es decir, con los de su especie, siempre transgredió las normas penitenciarias para conseguir el ansiado aislamiento.

Una vez solo dejaba volar la imaginación y no precisamente para pensar en asuntos positivos. Kürten ideaba escenografías mentales donde él protagonizaba películas en las que provocaba el horror del mundo: trenes que saltaban por los aires con cientos de muertos, ciudades que morían víctimas de un virus que él había diseminado por las aguas, niños envenenados por dulces llenos de arsénico, ésos eran sus placenteros pensamientos concebidos en la frialdad de su celda. Lo único que lo excitaba hasta el orgasmo. Cuando recurría a fantasías sexuales imaginaba cuerpos destrozados y la sangre cubriéndolo todo para su deleite. Esa era la mentalidad enferma de Peter Kürten, que más que un vampiro era un monstruo dispuesto a exterminar a una humanidad odiada por él.

Con dieciséis años se lió con una prostituta sadomasoquista descubriendo que era capaz de pegar tanto como lo había hecho su padre.

Un día paseando por un tranquilo parque se topó con un cisne, la belleza del animal lo provocó de tal manera que sin pensarlo dos veces se abalanzó sobre su cuello desgarrándolo para acto seguido beber su sangre. La excitación fue total y el vampiro tuvo claro que había comenzado su historial de hemorragias sin límite. Otros animales sufrieron idéntica suerte a la del pobre cisne. En una ocasión, mientras violaba a una oveja, extrajo de su bolsillo unas tijeras que clavó con saña en el cuello del ovino. Por desgracia para los habitantes de Dusseldorf, aquel criminal no se iba a conformar solo con infortunados animales domésticos.

El 13 de mayo de 1913, Peter Kürten merodeaba por unas viviendas con el ánimo de entrar a robar como en otras ocasiones, sin embargo, la calamidad quiso que en la casa, presuntamente vacía, se encontrara Khristine Klein, una niña de trece años que dormitaba en su habitación ajena a lo que estaba a punto de ocurrir. Peter, tras comprobar que no había nadie más en la casa, entró en la estancia donde se encontraba la jovencita, sin más, agarró su frágil cuello y la estranguló. La pequeña intentó resistirse, pero el vampiro terminó la faena cortándole el cuello con un cuchillo que llevaba entre sus herramientas de ladrón. Todo sucedió en unos tres minutos, Kürten no llegó a penetrar a la niña, dado que sufría eyaculación precoz (otra característica frecuente en los psicópatas asesinos). No obstante, la visión de la sangre que emanaba del cuello de Khristine fue suficiente para que el vampiro experimentara un intenso orgasmo.

Fue algo horrible que conmocionó al vecindario, nadie se explicaba cómo había podido pasar semejante suceso. Al día siguiente, mientras los inspectores investigaban el escenario del crimen, alguien se sentaba en la cervecería situada frente a la casa de los Klein, era Kürten quien escuchaba complacido los comentarios de los lugareños mientras bebía una cerveza y leía los pormenores del caso en la prensa local. La sensación fue para él maravillosa, por fin sus delitos alcanzaban la notoriedad deseada, ahora nadie lo podría parar.

Durante esos años estalló la Primera Guerra Mundial, las actividades de Kürten se calmaron bastante, limitándose a sus habituales delitos y algunas agresiones sexuales por las que seguía visitando la cárcel.

Con cuarenta años su vida dio un giro inesperado, hasta entonces había mezclado su oficio de delincuente con trabajos esporádicos en fábricas donde tuvo una militancia política muy agitada, pero al cumplir esa edad decidió empezar una nueva vida, se casó con una mujer de buena familia, consiguió trabajo como camionero y cambió su aspecto con ropa de buena calidad y exquisitos cuidados en su cabello y rostro. En ese sentido, utilizaba brillantina y polvos de maquillaje que le daban una imagen de ciudadano pulcro con aspiraciones a *gentleman* de la época. Sin embargo, su lado perverso seguía latiendo con fuerza en su interior, el vampiro estaba a punto de aflorar nuevamente y Kürten no podía resistirse.

En la década de los años 20, el monstruo volvió a actuar, sus crímenes afectaban no solo a niñas, sino también a hombres y mujeres. Los métodos eran por supuesto sanguinarios, cortes, cuchilladas, martillazos y fuego, sobre todo fuego, dado que el psicópata también generó su gusto por la piromanía. En algunos de sus asesinatos provocaba pequeños fuegos que, al parecer, estimulaban, más si cabe, su apetito sexual. Una de sus víctimas la pequeña Rosa Ohlijer de apenas ocho años de edad fue apuñalada trece veces con unas tijeras y tras beber su sangre, roció su cuerpo con gasolina prendiéndolo mientras el vampiro se retorcía de placer.

A la par que Kürten cometía sus aberraciones intentaba mantener esa vida ordenada de la que hacía gala, sus vecinos siempre dijeron que era un ciudadano modélico, su mujer nunca sospechó nada hasta el final, pero todo lo que estaba ocurriendo en Düsseldorf era demasiado grave como para que el autor de tanta barbarie escapara limpio y sin pagar por sus fechorías.

«Utilizaba brillantina y polvos de maquillaje que le daban una imagen de ciudadano pulcro con aspiraciones a *gentleman* de la época. Sin embargo, su lado perverso seguía latiendo con fuerza en su interior; el vampiro estaba a punto de aflorar nuevamente y Kürten no podía resistirse».

En 1929 el vampiro de Dusseldorf alcanzó la cresta de su maldad. Kürten con los ojos bañados por la sangre de sus víctimas dejó de reprimirse y se lanzó a las calles dispuesto a matar con frenesí. En ese año masacró a cinco personas, incluidas dos niñas de catorce y cinco años. La pequeña población alemana estaba horrorizada, la policía organizaba redadas y buscaba la complicidad de las bandas de delincuentes, todos querían capturar al monstruo, pero este parecía esfumarse cuál fantasma entre las brumas. Cualquier sombra desataba el nerviosismo de la gente. Nadie quería caminar solo por las calles de Dusseldorf, las autoridades ofrecían cuantiosas recompensas, sin embargo, el vampiro no daba señales de vida. Finalmente, Peter Kürten cometió un inesperado error cuando en 1930 dejó escapar con vida a su última víctima

María Budlick, una trabajadora doméstica a la que mediante engaño condujo a un bosquecillo con la intención de violarla y asesinarla. Una vez allí, le agarró el cuello con fuerza y apretó dispuesto a tener una nueva experiencia placentera, María, con asombrosa frialdad, no se resistió aguantando la opresión sobre su garganta. Peter, confiado por el evidente poder que ejercía sobre su presa, tuvo su habitual eyaculación precoz y cesó el estrangulamiento justo cuando la infortunada estaba a punto de expirar. La descarga seminal era la forma que tenía aquel canalla de concluir sus rituales; una vez conseguido el orgasmo no tenía sentido continuar, dado que el vampiro había perdido toda su estimulación; dicen que se alejaba de sus víctimas arrastrando los pies y exclamando: ¡Así es el amor!

Desde luego la templanza de María salvo su vida; ya había ocurrido en otras ocasiones, que se sepa por las investigaciones no menos de siete personas lograron escapar a los ataques de Peter Kürten, pero nunca supieron ofrecer la información precisa para que la policía se pusiera sobre la pista del asesino. En cambio María ofreció detalles muy certeros sobre el aspecto y morfología del vampiro. Al poco aparecía en la prensa un retrato robot del hombre más buscado de Alemania.

Con nerviosismo, Kürten contempló su imagen en los periódicos, se sintió acorralado y un profundo malestar se adueñó de su alma. A pesar de todo, intentó jugar una última baza, recordando la cuantiosa suma que la policía ofrecía por su cabeza, quiso redimirse ante su mujer explicándole todo lo sucedido. Se lo contó con una tranquilidad pasmosa, como si lo ocurrido no tuviera la mayor importancia.

La esposa escuchó las explicaciones de aquel individuo al que no podía reconocer. La primera reacción fue la de desplomarse desmayada; cuando despertó se encontró a su hasta entonces ejemplar esposo mirándola fijamente y dispuesto a proponerla un trato, nada menos que fuese ella la que lo entregase a la policía a fin de cobrar la suculenta recompensa. En esta ocasión la aún temblorosa mujer escuchó con más atención y aceptó lo propuesto por Kürten.

El 24 de mayo de 1931 el vampiro de Düsseldorf se entregaba sin oposición a los sorprendidos agentes policiales, vestía su mejor traje, su pelo iba impecablemente colocado por enormes dosis de brillantina, la cara convenientemente empolvaba mostraba un gesto altivo, sus ojos miraron con desdén a los captores y caminó de forma galante hacia la comisaría donde confesó con detalles espeluznantes todos sus crímenes.

El juicio fue rápido, los psiquiatras trabajaron a conciencia sin que pudieran diagnosticar ningún tipo de enajenación, es decir, Peter Kürten era un psicópata que había actuado siempre consciente de lo que hacía y, lo que es peor, sin arrepentimiento alguno. Cabe mencionar que en esos días envío cartas a los familiares de sus víctimas en las que se justificaba diciendo que para él la sangre era tan necesaria como para otros el alcohol.

Tras arduas jornadas en las que Peter Kürten disfrutó relatando con minuciosidad todas las atrocidades cometidas por él, el jurado se reunió para deliberar. Al cabo de hora y media de discusiones lo encontró culpable de nueve asesinatos y otros siete intentos frustrados de homicidio, además de otras casi ochenta agresiones sexuales. La sentencia no pudo ser más explícita, siendo condenado a morir guillotinado. Kürten ni siquiera se inmutó al oír la sentencia, no apeló y esperó pacientemente la consumación de la pena capital.

El 2 de julio de 1931 mientras caminaba hacia el cadalso solicitaba una última voluntad que estremeció a todos aquellos que la escucharon. La petición era consecuente con su negra vida, nada menos que poder escuchar su propio flujo sanguíneo cuando su cuerpo fuera decapitado por el acero. Nunca sabremos si este último deseo se pudo cumplir, lo único cierto es que Peter Kürten será a estas alturas un magnífico lugarteniente de Satanás, eso si las llamas del infierno no le ocasionan grandes orgasmos. En 1932 Fritz Lang dirigió su célebre película *M, el Vampiro*, basada en los horrores del vampiro de Düsseldorf.

Albert H. Fish
Estados Unidos de América, (1870 - 1936)

EL OGRO DE NUEVA YORK

Número de víctimas: 15 - 400. Fue imposible precisar el número exacto.
Extracto de la confesión: *"Grace se sentó en mi regazo y me besó. Entonces decidí comérmela... Que dulce y tierno era su culito asado al horno con zanahorias, cebollas y tocino... Tardé nueve días en comerme todo su cuerpo".*

En el imaginero popular infantil subyacen muchos de los temores que durante milenios han acompañado la evolución humana. En ese panteón de seres mitológicos uno de los que más terror despierta ante los pequeños es sin duda el ogro, una bestia gigante de aspecto antropomorfo cuya alimentación pasa por devorar carne humana, preferentemente, de niñas y niños.

El ogro encarna en su lado oscuro lo peor de nuestra especie: maldad, brutalidad, aniquilamiento y destrucción. Para un tierno infante no hay nada peor que ser cazado por un gigantesco ogro, el cual olfatea campos, pueblos y ciudades buscando la víctima más propicia. Cuando la detecta, muy poco queda por hacer, de nada sirve resistirse; arañar, golpear, patalear solo justifican un mayor ensañamiento por parte del siniestro espécimen

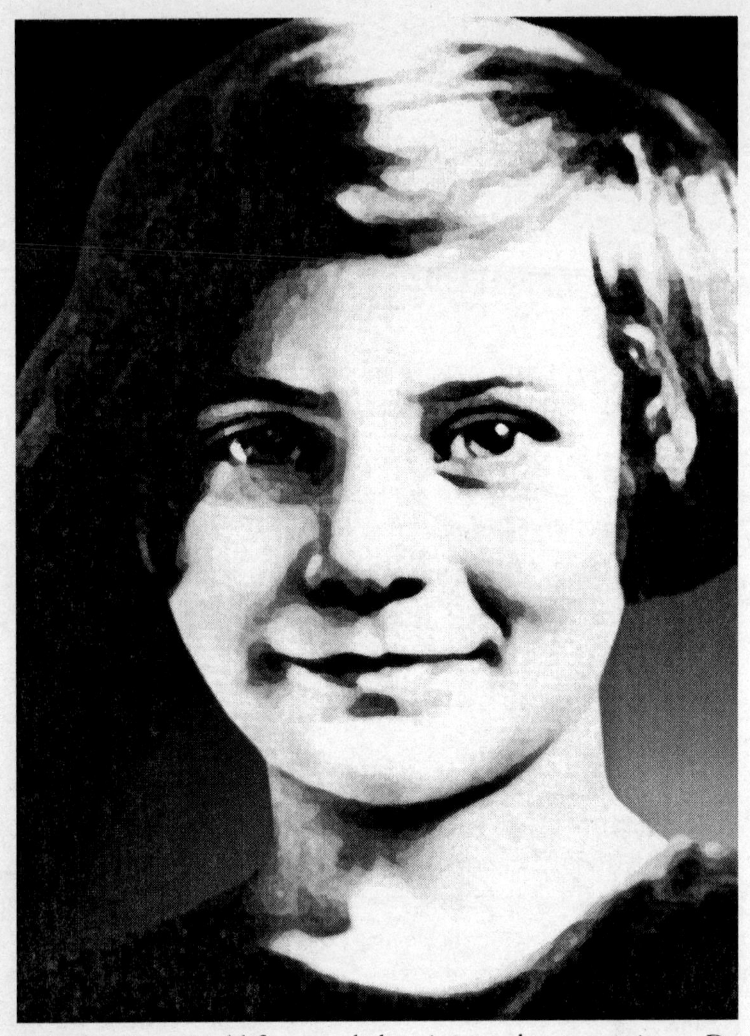

La joven Grace Budd fue una de las víctimas de este psicópata. De ella llegó a decir: «Qué dulce y tierno era su culito asado al horno con zanahorias, cebollas y tocino... Tardé nueve días en comerme todo su cuerpo».

que arremete contra su presa con la violencia de un depredador despedazando su cuerpo hasta quedar reducido a minúsculos trozos. Una vez concluida la primera fase comienza el festín para esta criatura del averno, es entonces cuando engulle la pieza como si de un delicado manjar se tratase, de esa manera, se nutre el mal, siempre a costa de la inocencia y pureza que representan los niños.

Esta situación reflejada en las páginas de un cuento ha servido para asustar a los pequeños de varias generaciones. Por desgracia, el folklore tradicional no se quedó solo en relatos que pusieran los pelos de punta a nuestros hijos, ya que la vida real es a veces mucho más terrible que los cuentos.

Conociendo el comportamiento de algunos psicópatas sexuales podemos llegar a la sorprendente conclusión de que algo de verdad existió en esas fantásticas historias de ogros come niños. Las creencias populares son más sabias de lo que podamos imaginar, supongo que si en verdad ocurrieron en el pasado escenas parecidas a lo descrito en las narraciones ancestrales, algún espíritu desencarnado perteneciente a esos seres malvados sobrevivió a los siglos apropiándose de cuerpos humanos con la intención de reanudar sus carnicerías infantiles.

Existen casos como el de Albert H. Fish que nos incitan a pensar que esto de los ogros es más real de lo que parece. Su asombrosa biografía desconcertó a insignes especialistas muy acostumbrados a investigar las más horribles situaciones. Lo de Fish superaba cualquier previsión.

Todos coincidieron en afirmar que el ogro de Nueva York era un psicótico, aún a sabiendas que cuando realizó sus horribles crímenes estaba cuerdo y muy consciente de sus actos.

Albert Fish nació en Washington DC en 1870; muy pronto descubrió como brotaba en él una gran inclinación por las prácticas sadomasoquistas, disfrutaba haciéndose daño pero también obtenía un inmenso placer cuando ese daño se lo ocasionaba a los demás. Como es habitual en los psicópatas, sus primeras víctimas fueron animales domésticos a los que cortaba con total frialdad cabeza y miembros en particulares fiestas sangrientas.

A los cinco años falleció su padre dejando a la familia desprovista de ingresos económicos, lo que supuso la reclusión de Albert en un orfanato y no, precisamente, de los más refinados. En el centro el niño incrementó su gusto por el dolor con las feroces palizas que recibía de sus cuidadores, además generó en su interior una extraña sensación de culpa tras conocer algunas prácticas sexuales realizadas por sus compañeros de más edad. Al cabo de algunos años de internamiento Fish obtuvo la ansiada libertad, aunque bien es cierto que le sirvió de muy poco.

Con veinte años se le pudo ver trabajando en la prostitución homosexual de la ciudad de Washington. En ese tiempo violó a un niño y, posiblemente cometió su primer asesinato, mientras realizaba pequeños actos delictivos como estafas, falsificación de cheques, exhibicionismo o la publicación de cartas obscenas, asuntos por los que fue detenido en ocho ocasiones.

La policía se percató de inmediato sobre la inestabilidad emocional de Fish, un hombre que en ocasiones aseguraba ser Jesucristo y en otras recibía los mensajes del mismísimo San Juan Evangelista. En definitiva, el futuro ogro afirmaba escuchar voces sobrenaturales que lo impulsaban a perpetrar tropelías poco honorables a fin de

DETECTIVE DIVISION CIRCULAR No. 6 JUNE 11, 1928

POLICE DEPARTMENT
CITY OF NEW YORK

[illegible]

Police Authorities are Requested to Post this Circular for the Information of Police Officers and File a Copy of it for Future Reference

ARREST FOR KIDNAPPING

FRANK HOWARD, Age, 58 years; height, 5 feet 7 inches; weight, 135 pounds; blue eyes; light complexion; mixed gray hair; small gray mustache which may be removed; teeth in poor condition, three protruding upper teeth; slightly bow-legged; white; wore blue suit, black shoes, and soft black felt hat; large diamond ring; is a smooth talker and when last seen had considerable money on him.

This man called at the residence of Mr. and Mrs. Budd, 406 West 15th Street, New York City, on May 28, 1928, to make inquiries about Edward Budd, their 18 year old boy, who had advertised in the New York World for a position as a farm hand. Howard left the home of the Budds and came back the following Sunday, June 3, and while there saw Grace Budd, 10 year old daughter, and took her to attend a birthday party on West 137th Street, and neither of them has been seen since.

DESCRIPTION OF KIDNAPPED GIRL:

GRACE BUDD, Age, 10 years; height, 4 feet; weight, 60 pounds; large blue eyes; dark brown hair, bobbed straight; sallow complexion; [illegible]; born in United States; white; residence, 406 West 15th Street, New York City. Wore light gray coat, gray fur on collar, cuffs, and down the front; white silk dress and socks; white pumps; gray silk hat with blue ribbon streamers from back; white pearl beads about neck; pink rose on lapel of coat; carried a brown pocketbook.

The photograph appearing on this circular does not answer the description of this girl, as to her clothing.

If arrested, immediately notify Detective Division, Police Headquarters, New York City, by telephone or telegraph, and an officer will be sent with necessary papers to cause his return to this jurisdiction.

JOSEPH A. WARREN,
Police Commissioner.

Telephone, Spring 3100

Nota policial donde se reporta el secuestro de Grace Budd. El detective de Nueva York, William F. King, jamás se dio por vencido con este caso. En 1934, su meticulosa paciencia, finalmente dio sus frutos.

expiar sus pecados sexuales en la tierra. Fish asoció todo lo que ocurría en su vida a la religión, eso al menos le liberaba del arrepentimiento.

Si ahondamos en las raíces familiares de Fish encontraremos alguna explicación para todo lo que le estaba sucediendo, su madre por ejemplo también escuchaba voces por la calle, dos tíos suyos acabaron sus días en instituciones mentales y sus hermanos no corrieron mejor suerte, dado que los que no estaban perturbados se encontraban alcoholizados. Como vemos, el historial psiquiátrico de la familia Fish da para un libro y no seré yo quién se detenga en estas prendas pues bastante tengo con ocuparme de Albertito.

Nadie podía creer que tras la afable presencia de este anciano se escondía la mente de un horrendo criminal, de naturaleza tan salvaje que no dudó a la hora de matar a niños, para después comérselos…

Durante años el ogro deambuló por las calles de Washington y Nueva York, visitando en tres ocasiones, siempre por fuerza, instituciones mentales. El diagnóstico se repetía incesantemente, Fish manifestaba una clara psicopatía sexual con derivaciones hacia el sadomasoquismo; el propio paciente aseguraba que infringirse dolor era la única vía por la que podía recibir el perdón por sus pecados. Su sexualidad enferma le obligaba a cometer actos impuros y eso ofendía a la divinidad por lo que esta le exigía un pago en sacrificios especiales tales como autoflagelarse, o lo que es peor, la inmolación de otros cuerpos a cargo suyo. No obstante, los especialistas no consideraron la posibilidad de encerrar a perpetuidad a un ser con esas muestras anómalas de comportamiento. Fish en sus reclusiones esporádicas mantenía una actitud ejemplar, y no olvidemos que en esos años las plazas disponibles en instituciones mentales eran muy escasas. En consecuencia Fish no tardaba en salir nuevamente a la calle dispuesto a continuar con su particular guerra a favor del dolor. A pesar de sus delicadas circunstancias contrajo matrimonio y tuvo seis hijos a los que, como es obvio, castigaba con asiduidad. Su esposa no tardó en abandonarlo, algo a lo que Fish no dio excesiva importancia. Mientras tanto, seguía trabajando en su nuevo oficio de pintor de brocha gorda, se alojaba en pensiones de mala muerte de Nueva York y seguía trapicheando en negocios fraudulentos de poca monta.

Qué se sepa, no comenzó con el asesinato periódico de niños hasta haber cumplido los cuarenta años de edad, seguramente, en ese tiempo, sus voces interiores resonaron con más fuerza. La lectura de la *Biblia* se convirtió en su único consuelo; de los textos sagrados obtenía supuestamente todas las indicaciones que orientaban su vida. Cuando no encontraba respuestas en las escrituras, ideaba versículos o tergiversaba el significado de lo que leía para acomodarlo a su macabra forma de entender la existencia.

En 1910 se inició la macabra liturgia caníbal de Albert Fish, por entonces decenas de menores vagabundos desaparecían para siempre de las calles neoyorkinas; cabe suponer, según la investigación policial, que este personaje fue autor de muchas de esas desapariciones sin justificar. Durante veinticuatro años el ogro de Nueva York asesinó impúnemente sin que nadie sospechara lo más mínimo en aquel ambiente sobrecargado y caótico de una urbe más acostumbrada a la crisis y a la delincuencia que al orden impuesto por la ley. Por fortuna el psicópata cometió un lamentable error que a la postre daría con su detención.

En junio de 1928 la familia Budd insertó un anuncio en la prensa solicitando un empleo que aliviara su angustiosa situación económica, a los pocos días se presentó en su domicilio un venerable ancianito dispuesto a ofrecer trabajo al hijo adolescente del matrimonio, el cual contaba con apenas dieciocho años de edad. El presunto patrón dijo llamarse Frank Howard, un granjero que ofrecía quince dólares semanales por la prestación de servicios en su propiedad. La oferta no es que fuera muy suculenta pero la situación de los Budd no estaba como para entretenerse en pequeños detalles. Howard era el apellido falso utilizado por Fish. La intención de este no era otra sino zamparse el miembro viril del muchacho. Sin embargo, una vez establecidas las protocolarias relaciones se fijó en la dulce mirada de Grace, una de las hijas de los Budd de tan solo diez años. Su aspecto angelical despertó la libido del viejo antropófago quien decidió sustituir al chico por la pequeña para consumar sus abyectas intenciones. Fish convenció a los padres para que le permitieran llevarse a Grace con motivo del hipotético cumpleaños de su sobrina, a buen seguro, la niña pasaría una tarde deliciosa y prometió devolverla a casa antes de las nueve de la noche. Los Budd no desconfiaron ante la amable invitación del que ya se podía considerar jefe de su hijo, y entregaron a su niña, ignorantes de lo que estaba a punto de ocurrir. Únicamente, solicitaron a Fish la dirección donde iba a transcurrir la fiesta infantil, el anciano les facilitó unas señas falsas y con la pequeña de la mano se fue tranquilamente rumbo a la tragedia.

Grace no volvió a dar señales de vida, y como es obvio, Frank Howard tampoco. Los Budd desesperados al ver que su hija no regresaba pusieron el hecho en conocimiento de la policía. El inspector Will King se hizo cargo del caso; era uno de esos clásicos detectives curtidos en las calles de Nueva York.

Nunca daba un caso por perdido, durante meses estuvo investigando todo lo sucedido en torno a la desaparición de Grace. Intuitivo como pocos, imaginó que el secuestro de la niña no era un suceso aislado y que, posiblemente, estaba relacionado con otras desapariciones de niños en extrañas circunstancias que ya habían sido detectadas por la policía neoyorkina. Transcurridos seis años, el detective King seguía atando cabos, su perseverancia le hizo buscar la complicidad de un amigo periodista, junto a él diseñó un artículo en el que se explicaba que el secuestro de Grace Budd estaba a punto de ser resuelto. La argucia dio magníficos resultados. Tras la publicación de la columna periodística, una carta llegó

Wisteria, la pequeña casa de campo ubicada en Westchester donde Albert Fish asesinó a Grace.

al buzón de la familia Budd, el contenido de la epístola no podía ser más siniestro y concluyente. Con manos temblorosas aquellos padres leyeron unas líneas en las que el presunto asesino confirmaba la muerte de la pequeña. Por desgracia el criminal no se paró en los trazos gruesos y contó pormenorizadamente todos los detalles de su bestial actuación. En el relato se decían cosas como esta: *"El domingo 3 de junio de 1928 fui a casa de usted, cenamos y Grace se sentó sobre mis rodillas para darme un abrazo y decidí comérmela. Me inventé un cumpleaños y ustedes le dieron permiso para que me acompañara. La llevé a una casa abandonada de Wisteria Lodge en la que me había fijado. Al llegar me desvestí completamente para evitar las manchas de sangre, cuando me vio desnudo empezó a llorar, gritar y echó a correr, la alcancé, la desnu-*

Fish indicó a la policía dónde podrían encontrar los restos de la pequeña Grace.

dé y empezó a patalear, morder y arañar. La estrangulé, corté su cabeza, la partí por la mitad y me la estuve comiendo en pedacitos durante nueve días, lo más sabroso fue su culito asado. Me la pude tirar pero no lo hice, su hija murió virgen..." Tras leer esta carta procedente del infierno, un gesto de horror se adueñó de los Budd; rápidamente, contactaron con el detective King, quien ordenó un análisis detallado de la caligrafía así como de los folios y el sobre que el presunto asesino había enviado. En noviembre de 1934 el espectógrafo descubrió una marca muy curiosa que hasta entonces había pasado desapercibida para los investigadores. La marca era un pequeño membrete que identificaba el origen del sobre, este según el estudio procedía de la Sociedad de Socorros Mutuos de Chóferes de Nueva York. King por fin tenía una pista

Reunidos en una cesta, la policía encontró los restos del cuerpo de Grace Budd y los guardó como evidencia.

clara sobre el paradero del ogro. Con sus hombres visitó la aseguradora preguntando con tal precisión que al poco apareció un posible sospechoso.

El candidato a ogro se llamaba Lee Siscoski, un modesto conductor que desde luego no cumplía las expectativas exigidas a un psicópata criminal. Tras el interrogatorio Siscoski reveló haber sustraído material de escritorio perteneciente a la aseguradora, pero lo más importante fue que buena parte de las hojas y sobres robados habían sido depositados en una pensión ubicada en el 200 Este de la calle 52. King, con la sagacidad de un felino, no tardó en deducir que aquel chofer no era su hombre y urdió un pequeño plan para seguir adentrándose en el entramado del caso. Se desplazó a la pensión inscribiéndose como huésped. En el registro del hostal comprobó con excitación que la caligrafía de la carta enviada a los Budd se correspondía con la de un inquilino alojado en la pensión. Durante algunos días King vigiló los movimientos del que ya era principal sospechoso del caso. Albert Fish mientras tanto seguía con su rutina diaria sin percatarse que la policía pisaba sus talones. Un buen día Will King entró en la habitación de Fish dispuesto a encontrar las pruebas que incriminaran al anciano. Tras una rápida ojeada descubrió un baúl, al abrirlo se topó con un abultado paquete de recortes de periódico en los que se podían leer toda suerte de noticias relacionadas con las atrocidades cometidas por otros psicópatas asesinos. El principal grupo de artículos se centraba sobre Frizt Haarmann el carnicero de Hannover, otro ogro come niños como Fish. El veterano detective supo en un par de minutos que se encontraba ante un asesino de grueso calibre que incluso llegaba a imitar el comportamiento de otros psicópatas como él. Mientras se enfrascaba en la lectura de aquellos textos, llegó Fish. Los dos hombres se miraron fijamente a los ojos, King detuvo a Fish sin que este mostrara oposición alguna. El policía comenzó a explicarle sus derechos legales, pero en un descuido Fish extrajo de su bolsillo una navaja y con ella intentó agredir a su captor. Para King no supuso ningún problema reducir al viejecillo, y una vez esposado lo condujo a la comisaría.

El ogro de Nueva York había sido apresado, sin embargo, en esos momentos ni siquiera el detective King conocía el alcance de aquella detención. Con diligencia extrema los criminólogos iniciaron investigaciones e interrogatorios. Corría el 13 de diciembre de 1934 cuando

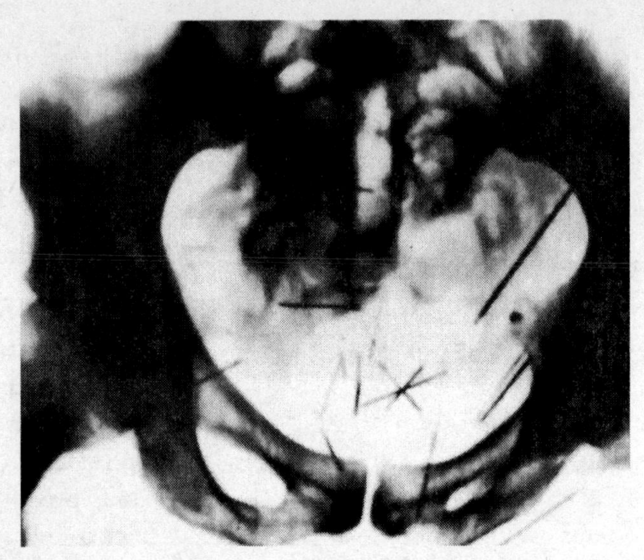

Radiografía que muestra las 29 agujas que se introdujo Albert Fish para auto inflingirse dolor.

Albert H. Fish comenzó a cantar de plano, en ese momento el horror se adueñó del alma de aquellos veteranos investigadores, jamás se habían enfrentado a un asesino de esas características.

Al poco tiempo la policía solicitó la intervención de los psiquiatras. Todos enmudecían ante las prolongadas explicaciones de Fish, es como si sintiera un cruel orgullo sobre todo el terror cometido por él. Sus prácticas sadomasoquistas también fueron reveladas. Por ejemplo Fish aseguró que obtenía un inmenso placer cuando se provocaba la sangre en su cuerpo, a tal fin utilizaba un largo palo en cuyo punta había colocado varios clavos; con esta herramienta golpeaba su espalda repetidamente hasta sangrar. Utilizaba algodón impregnado en alcohol que situaba dentro de su ano para una vez allí encender-

Sing Sing, fue la prisión donde finalemente recaló para esperar su ejecución en la silla eléctrica.

lo. Esta práctica también la realizo según él con algunas víctimas. Pero sin duda lo que más entusiasmaba a Fish era insertar agujas de marinero en su pelvis y testículos. En efecto, tras realizarle las pertinente radiografías se comprobó que un total de veintinueve agujas estaban clavadas en el interior de las zonas anteriormente citadas; incluso alguna mostraba síntomas de estar oxidada. Los psiquiatras no dejaban de tomar apuntes sobre lo que estaban escuchando. La tragedia se incrementó cuando Albert Fish escupió los datos sobre la cantidad de crímenes cometidos, todavía hoy se sigue discutiendo sobre el número de niños asesinados y comidos por el ogro. La policía barajó la cifra de 400, otros redujeron esas estimaciones hasta el centenar, lo cierto es que solo se pudo acusar al psicópata por un total de quince asesinatos, preci-

Silla eléctrica de Sing Sing, donde finalmente fue ejecutado el 16 de enero de 1936. Antes de morir dijo: "Qué alegría morir en la silla eléctrica. Será mi último escalofrío, el único que todavía no he experimentado."

samente, los que Fish recordaba con mayor nitidez, en ese sentido, tuvo la frialdad de contar a los miembros del jurado como cocinaba a sus víctimas. Dicen los testigos que acudieron al juicio que aquel hombre de aspecto bonachón más que un ogro parecía un gourmet apasionado por la cocina casera.

Los psiquiatras emitieron su diagnóstico. Este no pudo ser más concluyente. En Fish se detectaron varias anomalías, entre ellas sadismo, masoquismo, castración, exhibicionismo, *voyeurismo*, pedofilia, coprofagía, fetichismo, canibalismo e hiperhedonismo. Él tras escucharlo se limitó a decir: "No soy un demente, solo soy un excéntrico".

El 16 de enero de 1936 Albert H. Fish fue ajusticiado en la silla eléctrica del penal de Sing Sing, fue la persona de mayor edad que recibió esa pena capital. Las agujas de sus testículos generaron un cortocircuito en la primera descarga, la segunda fue implacable acabando con la vida del ogro de Nueva York, quien, por cierto, minutos antes de morir aseguró: "Qué alegría morir en la silla eléctrica. Será mi último escalofrío, el único que todavía no he experimentado". En verdad digo querido lector que existe gente sumamente desagradable.

Edward Gein

Estados Unidos de América, (1906 - 1984)

LA MANSIÓN DE LOS HORRORES

Número de víctimas: 2 - 5. Prácticas necrofílicas y necrófagas con 15-18 cadáveres.
Extracto de la confesión: *"Para mí el placer consistía en envolver mi cuerpo con la piel de los muertos".*

Con demasiada frecuencia los humanos nos enfrentamos a lo inconcebible, a lo absurdo, a lo macabro, situaciones que escapan o trastocan nuestras rígidas normas de comportamiento y conducta. Durante milenios hemos elaborado los mimbres de una civilización basada en protocolos culturales dominados esencialmente por la religión, la política o los intereses económicos, reglamentos adquiridos para una mejor convivencia de la sociedad. Pero ¿qué ocurre cuando se manifiesta una anomalía entre alguno de nosotros? Es difícil explicarlo, sobre todo cuando alguien desarrolla instintos pretéritos casi olvidados cientos de generaciones atrás. En efecto, entre los cultivados humanos de hoy en día todavía subyacen rastros animalescos que perturban las mentes poco evolucionadas que los albergan, personas cuyos

Casa de Edward Gein en Plainfield (Wisconsin). En este lugar apartado del pueblo vivió junto a su madre, Augusta, quien, a pesar de tenerlo como hijo predilecto, lo vistió de niña y lo trató como tal durante su infancia.

condicionantes externos oprimen su personalidad hasta el inevitable afloramiento de la bestia que todos llevamos dentro. Seguramente, usted habrá visto en el cine o en la televisión algunas películas que reflejan la vida de personajes atormentados cuyo único propósito es infringir el mal a todo aquel que se ponga a su alcance, no es necesario que existan pretextos de odio o rencor, simplemente las víctimas pasaban por allí o eran de determinado sexo. Todos recordamos films legendarios como *American psycho*, *El silencio de los corderos, La matanza de Texas* o *Psicosis*, esta última la gran obra maestra de Alfred Hitchcock. Pues bien, créanme que los títulos anteriormente citados se basaron en la mayoría de los casos en hechos reales: psicopatías de todos los calibres, trastornos mentales, traumas incubados en la infancia, antropofagia,

Antigua foto que muestra una de las habitaciones
que perteneció a su madre.

sadismo y desconexión con la realidad impuesta. Lo más sorprendente que nos encontramos en estos metrajes terroríficos es, sin duda, que todos ellos están impregnados por la personalidad vulgar y corriente de un carpintero frágil y apocado que vivió en la América profunda del pasado siglo XX. Su nombre era Edward Gein, aquél que hizo de su granja un auténtico santuario de los horrores.

Gein nació el 27 de agosto de 1906 en Plainfield, Wisconsin, un pequeño y pacífico pueblecito del medio oeste norteamericano dedicado por entero a la economía rural. Sus escasos habitantes poco podían imaginar por entonces que entre ellos iba a surgir uno de los iconos del terror más monstruoso de la historia.

La familia de Edward no se podía considerar incluida dentro de los cánones atribuidos al estilo de vida imperante por aquellas latitudes. Su padre, un alcohólico irredento, peleaba constantemente con su madre, una mujer austera y de vida estrictamente religiosa. Las palizas y broncas desestabilizaron un hogar condenado a la tragedia. El matrimonio entre gritos y sustos aún tuvo tiempo para concebir dos retoños, Henry y Edward, aunque este último no cubrió las expectativas de Augusta, una madre que, a decir verdad, esperaba la llegada de una niña y no la de un varón. A Henry se le permitió crecer normalmente, en cambio Edward fue sometido desde su nacimiento a los gustos de su madre. Vestido y tratado como una niña desde pequeño, Gein soportó estoicamente la excesiva protección a la que lo sometía su excéntrica progenitora. Durante años la familia Gein permaneció casi aislada del trato con sus vecinos, siempre ajenos a lo que estaba ocurriendo en esa granja tan extraña de Plainfield.

Una noche el padre murió repentinamente mientras se divertía en una de sus habituales juergas. Este hecho más que dolor, provocó el alivio de la familia y la madre encontró por fin la libertad suficiente para redoblar el control autoritario sobre sus hijos.

Edward era su preferido, sin embargo, todo en él pasaba desapercibido cara a los demás, constitución física normal, rasgos morfológicos normales, lo único que constituía una incógnita era el alcance de su inteligencia, aunque imagino que la actitud aplastante de su madre impidió cualquier desarrollo en ese sentido.

Desde bien jovencito tuvo que incorporar a la fuerza los soniquetes que su madre Augusta creó para él, "no forniques antes del matrimonio, eso es pecado", "no te masturbes, eso es pecado", "no bebas, eso es pecado", "no salgas con chicas, eso es pecado", frases como estas eran repetidas constantemente en el hogar de los Gein y siempre dirigidas a Edward. Finalmente, este ambiente insoportable generó en el muchacho una clara patología mental en la que predominaba un exagerado complejo de Edipo.

Edward terminó por enamorarse de su madre, no veía más allá del orondo cuerpo de Augusta, tampoco se relacionaba con los habitantes de Plainfield. Nadie fue capaz de congeniar con aquel chico tímido y reservado que ahora, a sus más de treinta años había empezado a obtener algún ingreso económico gracias a sus esporádicos trabajos como carpintero.

En 1944 su hermano Henry murió en extrañas circunstancias, lo que dejaba a Edward como único heredero de los bienes familiares. Un año más tarde, Augusta también moría fulminada por un infarto al corazón, Edward se quedaba solo y atemorizado, únicamente disponía de su granja como santuario protector de las atrocidades que según le había enseñado su madre se desarrollaban en el mundo exterior. ¿Qué podría hacer? Todo su universo había girado durante sus treinta y nueve años de existencia en torno a la figura de su madre. Ahora una vez desaparecida el cielo se desplomaba sobre él. Fue entonces cuando su mente empezó a generar una suerte de imágenes defensivas que le ponían en contacto directo con el espíritu materno. Siempre que tenía algún problema llegaba el fantasma de su madre para asesorarlo y conducirlo por el buen camino. Cada madrugada el espectro de Augusta venía para arroparlo en su cama y darle el besito de buenas noches, de esa manera Edward Gein fue superando los primeros meses de ausencia materna, llegó incluso a tapiar con tablones y clavos la habitación de su madre dejándola intacta tal y como ella la tenía en vida.

Una fría piedra recuerda el lugar donde
descansan los restos mortales de este asesino;
tan fría como su corazón...

Pero Edward necesitaba algo más que los buenos cuidados de su mamá.

Edward sufría una grave esquizofrenia por la que trepaban dos personalidades distintas, una de hombre y la otra de mujer, la dualidad atenazaba el alma de aquel perturbado. Su madre, posiblemente más trastornada que él mismo, había destrozado el mundo interior de su hijo y ahora estaba suelto como los demonios de su mente.

Un día, Gein se encontraba viendo un reportaje sobre las primeras operaciones quirúrgicas que se realizaban para cambiarse de sexo, la protagonista era Christine Jorgersen, una joven que se mostraba sumamente feliz con su recién adquirida condición femenina. Gein abrió los ojos como nunca; por fin se encontraba ante la solución para su problema: ¿Por qué no ser mujer? El único inconveniente es que, víctima de su propia inseguridad no era capaz de establecer las coordenadas racionales que mejoraran su situación.

Nadie debía saber cuáles eran sus gustos sexuales, todo tendría que hacerlo por sí mismo y en secreto, para ello desarrolló un sistema propio que le permitiera ser mujer cada vez que él quisiera. Escudriñó en libros de anatomía humana, durante meses se estuvo preparando a fondo, leyó hasta la saciedad todo tipo de manuales y enciclopedias relacionadas con el cuerpo humano. Cuando se sintió preparado puso en marcha su macabro plan para conseguir la tan ansiada felicidad. Todo sucedió coincidiendo con la muerte en Plainfield de una vecina muy querida en el pueblo; la noticia llegó a oídos de Edward quien sintió como se encendía en él una luz interna. La señora en cuestión fue enterrada en el cementerio local entre la conmoción de sus allegados. Por la noche una pequeña sombra se deslizaba entre las lápidas buscando su primera presa; era Edward, el cual, muy excitado por las circunstancias, no tardó en lanzarse contra el sepulcro que albergaba aquel cuerpo tan deseado por él. Con impaciencia desplazó la lápida y escarbó hasta toparse con el ataúd. Una vez abierto extrajo el cuerpo y, no sin dificultad, lo arrastró por el campo santo hasta su furgoneta de la marca Ford que había comprado recientemente.

Al parecer en esta profanación fue acompañado y ayudado por un extraño amigo llamado Gus, de aficiones muy parecidas a las de Edward.

Aquella noche los dos necrófilos se lo pasaron en grande diseccionando el cadáver de la pobre mujer; por fin Gein daba rienda suelta a su enferma sexualidad, ya no pararía hasta ser detenido años más tarde.

De la necrofilia pasó a la necrofagia, comiéndose buena parte de los cuerpos que iba robando de sus tumbas, siempre mujeres y a ser posible que mostraran algún parecido físico con su añorada madre.

En esos años cambió ostensiblemente la decoración de su granja. Su habilidad con las manualidades y el bricolaje le permitieron confeccionar toda suerte de pequeños utensilios domésticos; lo que no era devorado se convertía en piezas decorativas. Todo el material disponible era aprovechado para crear bonitas lámparas cuyas pantallas eran de piel humana, también los respaldos de las sillas o los cojines del sofá fueron tapizados con piel de muerta. Los cráneos tenían diversas funciones, algunos de ellos fueron cortados por la mitad y utilizados como recipientes o ceniceros, otros quedaron intactos siendo colocados en las columnas que custodiaban la cama en la que dormía Edward.

También diseñó una particular línea de vestuario en la que destacaba un cinturón hecho con los pezones humanos que iba consiguiendo, así como una especie de chaleco confeccionado con el frontal de un cuerpo femenino. Esta prenda podía ser utilizada como delantal o espaldera y solo se la ponía en las noches de luna llena, momento en el que Gein se excitaba hasta límites insospechados; parece que la luna ejercía algún influjo sobre la mentalidad enferma de Ed, quién también se fabricó nueve máscaras humanas pertenecientes a otros tantos cadáveres femeninos. Todo se completaba con pelucas auténticas, vaginas disecadas y huesos de variados tamaños. Esto era, en definitiva, el particular método utilizado por Ed Gein para convertirse en mujer o, mejor dicho, quizá era la forma que este hombre tenía para demostrar a su madre que él seguía obedeciéndola aunque estuviera muerta. Tarde o temprano lo inevitable ocurriría y eso fue el 8 de diciembre de 1954.

Ed visitaba con asiduidad la taberna del pueblo, en ella la dueña llamada Mary Hogan atendía a sus clientes; Gein era uno de esos parroquianos que bebían cerveza sin pararse a charlar demasiado. Cuando llegaba al bar solicitaba su jarra y con ella se sentaba en el fondo del local desde donde miraba fijamente a la dueña, una mujer que, por otra parte, mostraba evidentes semejanzas físicas con Augusta, la madre de Ed. En el día citado un granjero paró en el establecimiento de los Hogan dispuesto a refrescar el gaznate, para su asombro vio como un reguero de sangre teñía el suelo de la taberna sin que Mary estuviera por allí. Rápidamente dio cuenta de lo ocurrido a la policía local, el sheriff llegó al lugar y comprobó como la caja registradora no había sido tocada, lo único que faltaba de la taberna era su dueña. Ni siquiera los forenses fueron capaces de establecer una relación causa efecto, y pronto aquel extraño suceso comenzó a olvidarse. Cómo usted imagina, Ed Gein había cometido su primer asesinato, ya no le bastaba con la carne pútrida de los muertos, ahora empezaba a experimentar con carne fresca y sabrosa que además le proporcionaba una piel de mayor calidad y consistencia.

Lo cierto es que a lo largo de los años en los que actuó tampoco llegó a matar a mucha gente. Solo se pudieron confirmar dos asesinatos y se le relacionó con otras tres desapariciones; no es demasiado para algunos de los psicópatas de los que he hablado en este libro.

El siguiente crimen confirmado se produjo el 16 de noviembre de 1957, en este caso fue la dueña de la ferretería Bernice Worden quien, por cierto, también se parecía a la madre de Ed. El carpintero se acercó al establecimiento con la idea de comprar anticongelante, portaba su vieja escopeta de caza y no pensaba en ninguna matanza; sin embargo, la imagen de la señora Worden y su aparente soledad excitó de tal manera a Ed que no tuvo por menos que descerrajarla un tiro en la cabeza para acto seguido arrastrarla hasta su furgoneta Ford y llevársela a su granja. Una vez allí la colgó cuál animal en el matadero y la abrió en canal tras haberla decapitado. Ed actuó con la señora Worden como si fuera un experto matarife, vació el cuerpo y limpió los intestinos con minuciosidad. Por fortuna esta fue su última víctima, dado que la policía alertada por los vecinos había hecho acto de presencia en la ferretería donde comprobó que el último cliente había sido Ed Gein. El sheriff reaccionó con presteza y con sus hombres se plantó ante la granja de Ed, una vez dentro los agentes quedaron impresionados por la visión dantesca que se ofrecía ante ellos: la señora Worden permanecía colgada por los tobillos con sus vísceras al aire. Por la casa empezaron a descubrir con horror toda suerte de restos humanos y las obras decorativas que anteriormente he mencionado. Los especialistas determinaron que aquellas calaveras, huesos, órganos disecados y piezas confeccionadas con piel humana correspondían a unos quince cadáveres. Ed permanecía insensible ante las investigaciones policiales, no presentó resistencia alguna, solo se limitó a sonreír burlonamente mientras respondía en los interrogatorios con frases absurdas y carentes de sentido.

En 1958 las autoridades consideraron a Ed Gein un enfermo mental al que no se podía juzgar normalmente. En consecuencia, fue recluido en un psiquiátrico aunque en 1968 sí que fue juzgado como autor de dos asesinatos, mientras tanto su comportamiento en el centro fue ejemplar. Falleció el 26 de julio de 1984 por insuficiencia respiratoria. Sus médicos dijeron: "fue un paciente modélico". Por cierto la casa de Ed Gein fue quemada por los vecinos de Plainfield meses después de su detención a fin de evitar que se convirtiera en una atracción circense. Hoy en día existen numerosos clubes de fans de Ed Gein, que intercambian chistes sobre él, por ejemplo: "¿sabes por qué Ed pone a tope la calefacción de su granja?, para evitar que a sus muebles se les ponga la piel de gallina". En fin, amigos, siempre dije que la gente que rodeó a Ed Gein era deliciosa. Ya me entienden.

Theodore Robert Bundy

Estados Unidos de América, (1947 - 1989)

EL DEPREDADOR DE SEATTLE

Número de víctimas: 23 - 26

Extracto de la confesión: "*A la hora de ganar la confianza de la mercancía siempre hay que hablar un poco, pero como la chica que hay delante de mí no es una persona sino una imagen o una cosa deseable, ¿cómo esperar que quisiera personalizarla?; ya saben son desechos y yo me limitaba a eliminarlos*".

En ocasiones el mal adopta formas agraciadas con el perverso fin de acercarse a sus víctimas. El depredador no repara en disfraces con el único objetivo de seguir cazando un día más. En la naturaleza hay una clara relación entre presa y cazador, este último mata por la necesidad de alimento, matar es su manera de sobrevivir. Sin embargo, todo se altera cuando los propósitos antes citados son interpretados por humanos. Imaginemos la situación como si de una película de ambiente universitario se tratase: En las primeras secuencias vemos llegar al campus estudiantil un coche de la marca Volkswagen, de esos que se conocen popularmente como escarabajo. En el vehículo viaja un joven alto, atractivo con pelo rizado, mandíbula marcada y mirada segura. Este hombre de aspecto varonil baja del coche e intenta coger varios libros

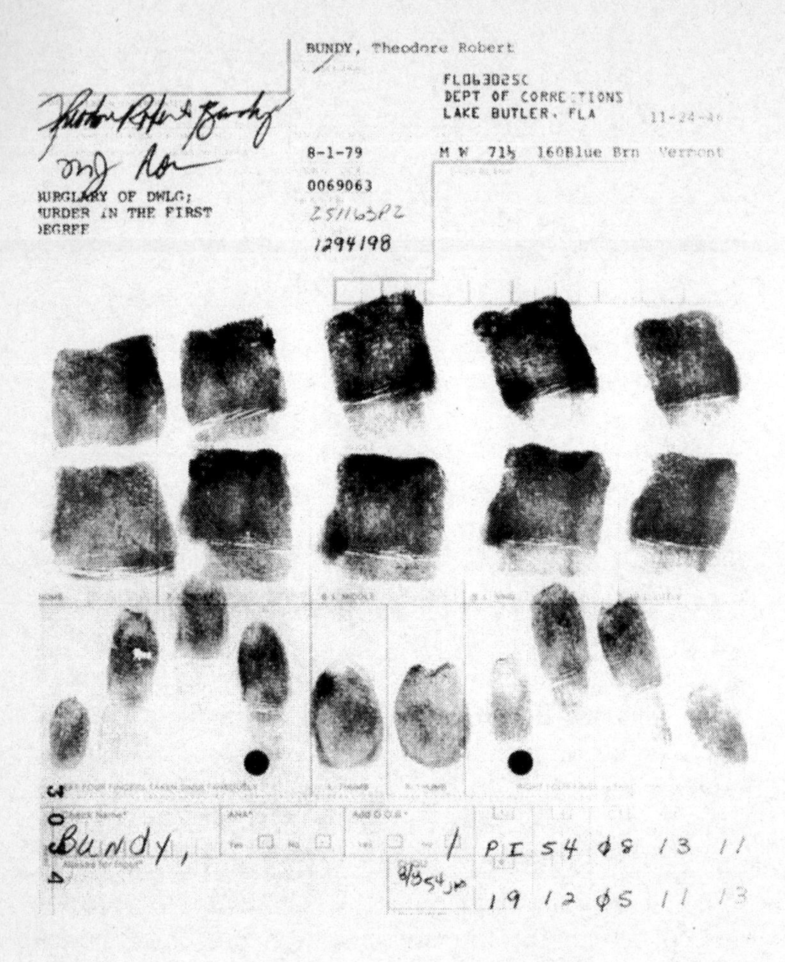
BUNDY, Theodore Robert

FL063025C
DEPT OF CORRECTIONS
LAKE BUTLER, FLA

8-1-79
M W 71½ 160Blue Brn Vermont

0069063
25116SPZ
1294198

URGLARY OF DWLG;
URDER IN THE FIRST
EGREE

Bundy,

PI 54 08 13 11
19 12 05 11 13

Ficha policial con las huellas dactilares del criminal más buscado de América en los años ochenta.

del maletero, en su rostro surgen de repente muecas de dolor que obligan a paralizar la operación. De inmediato nos percatamos que uno de sus brazos está escayolado, si pretende transportar ese material necesitará la ayuda de alguien. Casualmente o no, pasa por allí una joven estudiante de pelo lacio, oscuro y peinado con raya en medio, sus pantalones vaqueros ajustados nos muestran una magnífica figura y su cara refleja la coquetería e inocencia propias de su edad. Es ella y solo ella la elegida por el presunto profesor para que lo ayude a sacar los libros del coche. La chica complacida por la petición del guapo muchacho decide colaborar en lo que supone como la buena acción del día, pero de repente, algo cambia en el rictus del candidato a ligue, su voz se hace más ronca y pide casi ordenando a la estudiante que suba al escarabajo para acompañarlo a su casa. La chica desconfía y tras un pequeño forcejeo en el que el brazo afectado parece recobrar la salud, huye despavorida. Ha tenido mucha suerte, todavía no lo sabe, pero ha conseguido escapar de las garras de uno de los mayores psicópatas sexuales de Norteamérica. Esa chica podrá decir que salvó la vida tras enfrentarse a Ted Bundy, el asesino más despiadado de Seattle.

Theodore Robert Bundy nació en Filadelfia en 1946. Como cualquier psychokiller famoso su infancia fue sumamente complicada, hijo de madre soltera tuvo que aceptar con resignación el pasar como hermano pequeño de su madre ante la comunidad. Su abuelo fue un hombre autoritario y violento, nunca llegó a digerir que su hija se hubiese quedado embarazada sin estar casada y sin saber bien quién era el padre de su nieto. La joven madre obtuvo un trabajo como secretaria y confió

Pronto se sospechó de su vinculación con los crímenes, y se lanzó la orden de busca y captura. Había que acabar de una vez por todas con aquellos asesinatos que estaban conmocionando a la población.

la educación de su pequeño a los abuelos y a canguros ocasionales.

Ted era un niño adorable y siempre dispuesto a sonreír, sin embargo, el pésimo ambiente familiar carente de cuidados y, sobre todo, cariño, comenzó a influir negativamente en su inquieta personalidad. Siendo mozalbete nació en él la necesidad de robar, seguramente porque veía que su madre y abuelos no conseguían los objetivos de bienestar que se habían planteado. Esto generaba una inmensa frustración en el clan, aunque todos confiaban en que el pequeño Teddy llegaría muy lejos. El muchacho se convirtió en un cleptómano, no es que le hiciera falta sustraer objetos ajenos, pero la experiencia le proporcionaba adrenalina suficiente para mitigar su cada vez mayor ansiedad.

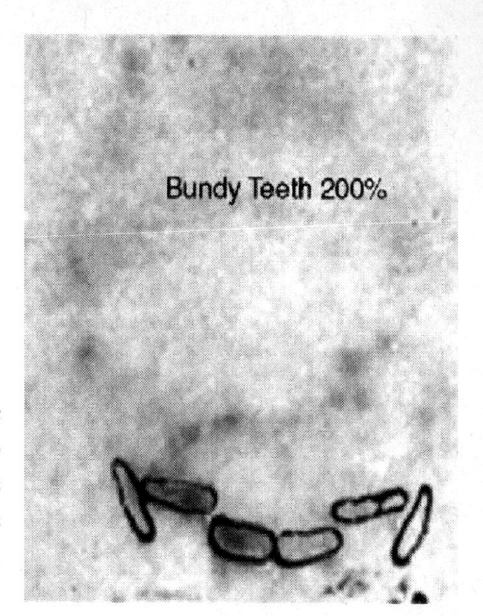

Otra prueba ineludible que inculpó al asesino fueron las marcas de sus dientes dejadas en los cuerpos de sus víctimas.

De la cleptomanía pasó al *voyeurismo* cuando se quedó impresionado ante la visión de una mujer que se desnudaba en un piso iluminado y sin cortinas. En ese tiempo, el aspirante a psicópata fomentó el hábito de la masturbación ante cientos de revistas pornográficas que iba coleccionando escrupulosamente.

Como a todos los jóvenes, también para Bundy llegó la oportunidad de un primer amor; se llamaba Stephanie Brooks, una muchacha con aires de grandeza que esperaba a un príncipe azul que la sacara de su aburrida clase media para impulsarla al infinito y más allá. Stephanie era ambiciosa y soñaba con un marido ideal que tuviera un trabajo ideal con el que tener hijos ideales mientras vivía en una mansión ideal. Claro que estos sueños tan ideales no eran compatibles por el momento con lo que

January 20, 198[illegible]

Dear Polly,

Christmas, New Years and the 12 days of Christmas have come and gone. I felt reclusive during the holidays and couldn't bring myself to send season's greetings to anyone. So it goes. But I got over it.

So please accept my heartfelt thanks for all you have done and my wishes that the coming year will give you much Peace and Joy

Ted

Resentment Strokes

Handwriting of Ted Bundy

Expertos grafopsicólogos analizaron la escritura de Ted, destacando un marcado resentimiento y odio en algunos de los caracteres de su escritura.

podía ofrecer Ted Bundy, él era un chico guapo, eso sí, pero no era suficiente para cubrir las expectativas de Stephanie y esta le dio calabazas en 1966, cuando apenas tenía veinte años de edad. Este asunto, que no sería en otra pareja más que una chiquillada, en Ted fue la vuelta de tuerca que terminó por desenroscar el entramado de su mente. Hasta entonces había disimulado sus anomalías con éxito. Desde el humillante rechazo de su amada todo iba a cambiar.

Desolado por el revés sentimental trató de esforzarse para que al menos su madre se sintiera orgullosa con sus logros, quería destacar como fuera en aquella sociedad tan clasista. Se matriculó en la universidad de derecho y se inscribió en clases de chino, todo con tal de llamar la atención de su querida Stephanie. Ted era un estudiante ejemplar, o al menos eso intentaba dado que no era el más brillante del curso. No obstante mantenía una magnífica conducta que le permitió formar parte del Comité Asesor para la Prevención del Delito en Seattle. El chico desde luego prometía mucho, su madre y sus compañeros llegaron a pensar que tarde o temprano acabaría ocupando un lugar destacado en la política local. Algunos incluso apuntaron que con ese porte, esa cara y esa elocuencia, no tardaría en ser lo que se propusiera, por ejemplo gobernador del Estado de Washington. Pero Ted tenía otras inquietudes, el desprecio de su primera novia lo había marcado profundamente, en su alma anidaba un sentimiento de venganza que pronto lo abocaría al abismo.

Durante años urdió un patético plan para recuperar la confianza de Stephanie, trabajó febrilmente en su imagen pública, poco a poco, se fue acercando de nuevo a su primer amor. La amargura de no haber sido aceptado por ella lo corroía por dentro, el rostro angelical de la joven permanecía como una foto fija en su retina, era una obsesión constante y enferma. Ted pasó del amor al odio, ella representaba todo lo malo que le había pasado en la vida y lo iba a pagar muy caro.

Como es lógico, la sencilla y superficial Stephanie volvió a fijarse en el cada vez más popular Ted, ahora sí podía contar con su interesado amor y juntos alcanzarían los sueños más ilusionantes. Ted la correspondió diciéndola que siempre la había querido y que el ser rechazado años atrás no suponía ningún inconveniente, más bien lo contrario, ya que gracias a eso él había luchado con más denuedo para conseguir estar a la altura que ella exigía. Los dos tortolitos se casaron en diciembre de 1973. Por fin Ted Bundy conseguía el sueño de su vida, parecía que con Stephanie todo marcharía sobre ruedas. Sin embargo, la mentalidad enferma del depredador no le permitió pensar en nada más que la venganza. Mientras disfrutaban de su luna de miel, Ted agredió, humilló y repudió a Stephanie, profirió contra ella toda clase de insultos vejatorios; en definitiva, la estaba devolviendo el golpe sufrido por ella años atrás.

Días más tarde Ted Bundy cometía su primer asalto criminal. Curiosamente desde entonces todas sus víctimas guardarían algún parecido físico con Stephanie, morenas de pelo largo y lacio con raya en medio y vistiendo pantalones en todos los casos. La violencia desatada por este psychokiller es difícil de encontrar en otros de su calaña, utilizó toda suerte de estrategias para engatusar a sus víctimas. Desde enero de 1974 a febrero de 1978 recorrió cinco estados norteamericanos asesinando desde las veintitrés chicas que él confesó hasta las treinta y seis que ase-

El 15 de febrero de 1978, David Lee, agente de policía de Pescola, detuvo a Ted Bundy cuando pretendía huir en su Volkswagen escarabajo.

guró la policía. Lo cierto es que nunca sabremos realmente cuántas murieron a manos de este psicópata sexual. La locura de Bundy lo arrastró a una masacre en la que todo valía con tal de satisfacer los íntimos deseos del agresor: golpes tremendos con barras de hierro y martillos, violaciones corporales de toda índole, mordiscos, penetraciones vaginales con palos metálicos, desgarramientos anales con ramas de árbol, estrangulamientos y todo el catálogo donde se inscribe la bajeza humana.

Bundy era un sádico criminal que elegía a sus presas de forma aleatoria, únicamente se atuvo a lo impuesto por su particular estética macabra: rasgos y edad parecidos a los de Stephanie, ese fue su patrón de muerte.

En una ocasión tuvo la suficiente sangre fría como para violar y matar a dos chicas en Florida en la misma

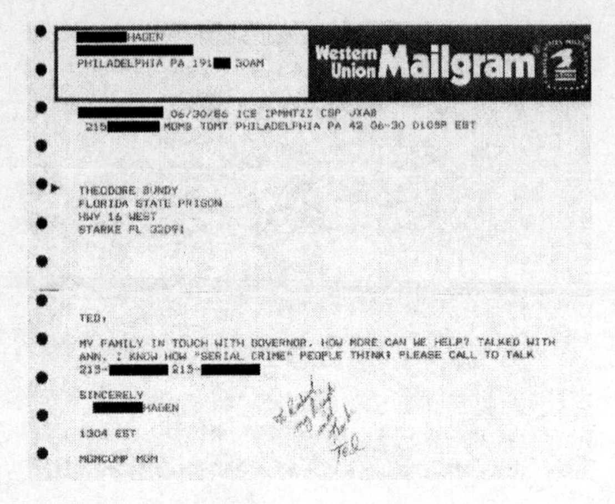

HAGEN
PHILADELPHIA PA 191 30AM

Western Union Mailgram

06/30/86 ICS IPMNTZZ CSP JXAB
215 MGMS TDMT PHILADELPHIA PA 42 06-30 0105P EST

THEODORE BUNDY
FLORIDA STATE PRISON
HWY 16 WEST
STARKE FL 32091

TED,

MY FAMILY IN TOUCH WITH GOVERNOR. HOW MORE CAN WE HELP? TALKED WITH ANN. I KNOW HOW "SERIAL CRIME" PEOPLE THINK! PLEASE CALL TO TALK
215- 215-

SINCERELY
HAGEN

1304 EST

MGMCOMP MGM

Evidentemente Ted Bundy se convirtió en el ser más odiado de su momento, pero hubo quien quiso ayudarle, pese a que la opinión pública estaba muy en contra de él y quería ver cómo se achicharraba en la silla eléctrica.

tarde mientras disfrutaba de un día playero en compañía de una novia. Tras realizar los dos crímenes se arregló para salir a cenar con su ligue como si nada hubiese pasado. Sí es cierto que algunas supervivientes lo identificaron y fue detenido, pero la nebulosa creada en torno a la eterna falta de pruebas provocó que Bundy escapara de la cárcel para reanudar su secuencia de asesinatos.

Uno de sus campos de venteo era la universidad, más en concreto, las residencias femeninas de estudiantes. En una ocasión Bundy se internó en uno de esos centros para consumar una de sus habituales fechorías. Esa noche estaba ciertamente animado, ya que violó consecutivamente a cuatro chicas, dos de las cuales fueron asesinadas a martillazos, dejando a las otras dos gravemente heridas y con trastornos psicológicos de por vida. Las actuaciones

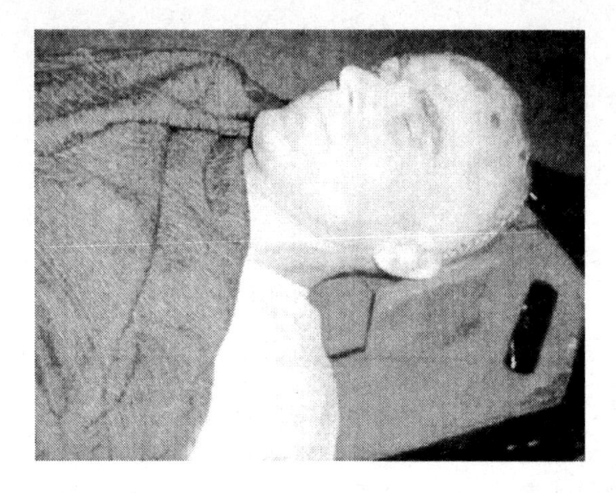

El día que fue condenado a morir en la silla los locutores de las emisoras de radio pidieron a los oyentes que apagaran los electrodomésticos, a fin de garantizar que hubiera electricidad suficiente para freír a Bundy.

de esta bestia humana llenaron de miedo las calles de las ciudades norteamericanas, la policía destinó cientos de efectivos para descubrir y detener al depredador de Seattle. Sin embargo, la desconcertante forma de actuar del asesino impedía maniobras certeras.

Por fortuna, Ted Bundy cometió un grave error el 8 de febrero de 1978. En esa fecha se encontraba en la localidad de Jacksonville donde robó una furgoneta marca Dodge. Con el vehículo se dispuso a cometer un nuevo asesinato, pero en esta ocasión algo salió mal y la chica huyó mientras un testigo anotaba la matrícula del furgón robado. Bundy, arrebatado por la ira y por las ansias de matar, buscó con avidez otra presa en esa misma noche, la desgracia quiso que se cruzase con una niña de tan solo doce años cuyo nombre era Kimberley Leach. Bundy desfogó su odio en el cuerpo de la pobre pequeña, sería la última víctima del monstruo. El aviso sobre el robo de la furgoneta dio sus frutos, el 13 de febrero se localizó el vehículo con los restos de la niña y un montón de huellas dactilares dejadas por Bundy. Dos días más tarde el agente de la policía de Pensacola, David Lee, detenía a Ted Bundy cuando trataba de escapar a bordo de su Volkswagen escarabajo. Era el fin de la pesadilla.

En el juicio Bundy siempre se declaró inocente, él mismo asumió su propia defensa; sin embargo, los peritos judiciales, los investigadores y los psiquiatras trabajaron a fondo para demostrar la personalidad criminal de aquel depredador humano. Se aportaron pruebas rotundas como el análisis de la dentadura del sospechoso impresa en los glúteos de una de sus víctimas. Finalmente, se pudo demostrar que Ted Bundy había asesinado a tres muchachas y por ello fue sentenciado a morir en la silla eléctrica. Mientras recorría el pasillo que le conducía al corredor de la muerte, los presos le escupieron profiriendo toda clase de insultos hacia un espécimen que para ellos no era más que escoria, un violador de niñas que no merecía nada de este mundo. Durante los diez años que esperó la pena capital, Bundy siempre habló de él en tercera persona tratando a sus víctimas como si fueran desechos. Reconoció haber ejecutado a veintitrés chicas, seguramente fueron muchas más. El 25 de enero de 1989 a las 7:16 AM, Ted Bundy fue electrocutado hasta la muerte, más de mil personas solicitaron asistir a la ejecución en una cárcel de Florida. Las radios locales pidieron encarecidamente a las poblaciones cercanas que apagaran sus electrodomésticos para que no faltase energía eléctrica en la prisión.

Tras la consumación de la pena capital miles de personas aplaudieron y se lanzaron fuegos artificiales por todo el Estado. Como curiosidad diré que la ley norteamericana que ampara a las víctimas de la pornografía lleva por nombre Ley Bundy.

Daniel Camargo
Colombia, (1931)

LA BESTIA DE LOS ANDES

Número de víctimas: 71 - 150
Pena impuesta: cumplió 16 años de cárcel por sus crímenes, máximo castigo según las leyes ecuatorianas.
Extracto de la confesión: *"Después de cada asesinato juraba que nunca más lo haría. Pero luego volvía. Era un deseo dentro de mí, como una droga. Tenía que matar otra vez".*

La infancia, queridos amigos, marca profundamente nuestra personalidad. Si nuestros primeros años son felices y nuestros padres nos colman de atenciones y cuidados es muy probable que gocemos de una vida mentalmente saludable.

En el caso de los psicópatas asesinos esto casi siempre no es así, con frecuencia comprobamos que en las fichas de los psychokillers aparecen traumas contraídos en la más tierna infancia: agresiones sexuales, malos tratos físicos y psíquicos, desarraigo familiar... Es como si los padres proyectaran todas sus frustraciones sobre sus hijos y éstos comienzan a coleccionar sinsabores extremos, lo que a la postre aboca al candidato a criminal hacia la destrucción de iconos creados en su cerebro que supuestamente lo atormentan desde sus primeros pasos en la vida.

Los psicópatas –ya sabemos– no son enfermos mentales, pero, en cambio, sí generan ciertas anomalías que condicionan sus terribles actuaciones; por ejemplo, un asesino en serie puede desarrollar una obsesión enfermiza por destruir ciertos símbolos que para él son torturantes. Eso determinará su pauta de comportamiento a la hora de seleccionar y matar a sus víctimas. Sí que es cierto que en estos individuos predomina el móvil sexual; ya hemos visto como alguno de ellos se pasó la vida matando a muchachas que se parecían a su novia simplemente para vengar una humillación o un desprecio ocasionado por esta.

En el caso de Daniel Camargo fue la infidelidad de la esposa, unido a trastornos adquiridos en la infancia, lo que desató que el colombiano apareciera de forma sangrienta en la galería universal de los psicópatas asesinos. Aunque entró con edad madura, consiguió el dudoso mérito de haber matado más gente en menor espacio de tiempo. Es un relato que todavía hoy sigue estremeciendo a todos aquellos que lo conocieron en Colombia y Ecuador. En esos países, donde parece que la vida vale menos debido a una altísima tasa de criminalidad, el suceso que nos ocupa desbordo, no obstante, todas las previsiones imaginables.

Nacido el 22 de enero de 1931 en los andes colombianos, muy pronto se vio privado del cariño y mimo de su madre biológica, ya que esta murió sin que Daniel hubiese cumplido su primer año de vida. El padre tardó muy poco en casarse de nuevo y, para desgracia del pequeño, la recién adquirida madrastra no pudo cumplir el sueño de tener una niña dado que, según parece, tenía serios problemas de fertilidad. El asunto provocó una cierta enajenación mental a la aspirante a mamá, y como lo más parecido que tenía en casa a una niña era Danielito se fijó en él para convertirlo en ella. En efecto, el niño sufrió una transformación estética motivada por el trastorno de su nueva madre. Danielín, ahora Danielita, tuvo que soportar durante años que su madrastra lo enviara al colegio vestido como una niña; puntillas, lazitos y bucles en el pelo eran una constante en la vida del atónito niño. Como se puede figurar el lector, aquella mujer, sin saberlo, estaba condicionando el carácter del pequeño, condenándolo a la fuerza a satisfacer su obsesión maternal.

A pesar de todo, el muchacho dio muestras de una clara inteligencia siendo uno de los alumnos más distinguidos en las clases de primaria del colegio León XIII de Bogotá. Sin embargo, el deseo de seguir estudiando se vio truncado por el malestar reinante en la familia Camargo. Según confesaría tras su detención años más tarde, su hermana mayor abusaba sexualmente de él, también fue sometido a constantes palizas y humillaciones a cargo de su padre y de un tío absolutamente alcoholizado. No es de extrañar que a los doce años abandonara la escuela dedicándose al aprendizaje vital que dan las calles de una ciudad tan conflictiva como es Bogotá.

Lejos de la ambigüedad, a Daniel le gustaban las chicas. Le llegó la hora del amor y se enamoró de una muchacha llamada Alcira Castillo con la que se casó en 1960. Los primeros años de matrimonio fueron felices y parecía que por fin nuestro protagonista dejaba atrás su tumultuoso pasado familiar para acometer una existencia sensata. Sin embargo, siete años más tarde todo se desmoronó cuando cogió *in fraganti* a su mujer con otro hombre en la cama. En ese momento un cortocircuito desordenó definitivamente la mente de Camargo, decidiendo que las mujeres eran las culpables de todos los males que habían acontecido en su vida. Había llegado el momento de la venganza, ya no se volverían a reír de él y nunca más lo humillarían. Solo quedaba buscar inocencia y pureza, y eso, según él, se encontraba en la virginidad de las muchachas.

Con frenesí buscó jovencitas que fueran vírgenes. Su nueva amante tan loca como él, lo ayudaba en esas auténticas cacerías. Las violaciones se fueron sucediendo, las chicas eran narcotizadas previamente para ser violentadas por Camargo. Esto duró poco tiempo a su pesar, pues un buen número de adolescentes atacadas por Camargo y su cómplice denunciaron los hechos dando toda clase de pistas que condujeron a su detención en 1968. La pena impuesta fue de cinco años, tras cumplirla Camargo volvió a las andadas. Se supone que en este primer periodo ya cometió algunos asesinatos, pero lo cierto es que cuando fue nuevamente detenido en 1974 tan solo se le puedo acusar de un asesinato con violación. Esta vez la pena fue más contundente y Daniel Camargo fue condenado a cumplir veinticinco años de reclusión en la isla penitenciaria de Gorgona en Colombia.

En ese aislado paraje estuvo encerrado diez años. Lo cierto es que la isla por inhóspita apenas tenía vigilancia y los presos deambulaban a sus anchas por la pequeña extensión insular.

La tarde del 23 de noviembre de 1984 Camargo en uno de sus paseos, descubrió una pequeña barca abandonada. No lo pensó dos veces, y empezó a remar con la desesperación del superviviente. Sin alimentos ni agua remó sin descanso durante tres días hasta que divisó las costas continentales. Milagrosamente se había salvado aunque su aspecto y situación anímica daban a entender que sus días en la tierra estaban contados. Pero Daniel Camargo era inteligente y tenía capacidad para generar recursos que le permitieran seguir adelante. Como hemos dicho gozaba de una cierta brillantez intelectual y además hablaba a la perfección tres idiomas.

Lo primero que hizo fue cambiar de país, Ecuador sería desde entonces su nuevo campo de actuación criminal. La excitación se volvió a adueñar de su cuerpo, regresaron con fuerza los fantasmas del pasado y, no olvidemos, amigos, que Ecuador es un país tremendamente joven y lleno de jovencitas con aspecto virginal e inocente. La bestia de los andes desenterró su macabra hacha de guerra y comenzó a usarla con impulsos frenéticos. Serían quince meses horrendos en los que Camargo regó con sangre caminos, veredas, carreteras y autopistas, una vorágine de terror que desconcertó por inusual a las autoridades locales, las cuales solo eran capaces de incrementar la vigilancia y poco más, dado que el asesino no dejaba huellas ni señales que permitieran su captura.

En sus años de reclusión, Camargo había pensado largo tiempo en por qué lo habían detenido; sin duda la declaración de las jovencitas violadas había sido fundamental para que pasase tanto tiempo a la sombra.

En su mente trastornada desarrolló un nuevo plan de venganza, concluyendo que una vez libre mataría a sus futuras víctimas sin dejar huellas, de esa manera nadie lo podría denunciar. Esta es la simple visión que de los acontecimientos tenía un asesino cruel como Daniel Camargo.

En marzo de 1986 la bestia de los andes fue detenida en una inspección rutinaria de carreteras realizada por la policía ecuatoriana. Camargo muy avejentado y harapiento parecía un vagabundo de los muchos que transitaban por el país. Sin embargo, algo llamó la atención de los agentes, y esto fue que el presunto mendigo portaba una maleta sospechosa. La sorpresa vino cuando una vez abierta, se pudo comprobar que en el interior de la misma se encontraba una camisa teñida por la sangre, así como otras prendas también salpicadas de hemoglobina.

Ante las preguntas insistentes de los policías Camargo se limitó a enmudecer sin presentar resistencia alguna. Trasladado a la comisaría más cercana, los inspectores comenzaron con los interrogatorios, al poco la bestia de los andes se derrumbaba cantando de plano. En su declaración confesó setenta y un asesinatos y un número incontable de violaciones, pronto el caso Camargo se convirtió en un coladero para muchos homicidios sin resolver en la zona. La policía llegó a intuir más de ciento cincuenta asesinatos entre Colombia y Ecuador. Mientras tanto Camargo, atónito por todo lo que estaba ocurriendo en torno suyo, se justificaba de esta manera: "Estaba vengándome de muchos años de humillación... Después de pasarme tantos años preso por violación, lo único que me daba miedo era volver a la cárcel. Por eso mataba sin dejar huellas. Siempre llevaba una camisa de más, y cuando las manos se me manchaban de sangre las limpiaba orinando sobre ellas".

Destrozó, mutiló y desgarró a sus víctimas de forma salvaje. En una ocasión la policía le preguntó por qué había arrancado los pulmones, riñones y corazón de una muchacha, a lo que él respondió fríamente: "Eso es mentira, como mucho la saqué el corazón porque es el órgano del amor". Daniel Camargo fue condenado a dieciséis años de cárcel, la pena máxima que contempla las leyes ecuatorianas para estos casos. No parece mucho para un psicópata asesino.

Andrei Romanovich (Chikatilo)

Ucrania, (1936 - 1994)

LA BESTIA DE ROSTOV

Número de víctimas: 53

Extracto de la confesión: *"No podía controlar mis actos. Lo que hacía no era para obtener placer sexual, más bien me proporcionaba paz mental y espiritual durante un tiempo." "Cuando sentía la llamada tenía auténtica necesidad de matar".*

Solo los débiles son capaces de apuñalar por la espalda. De igual manera, muchos psicópatas impotentes desatan un particular terror sexual con sus inocentes víctimas, en ellas descargan todo el odio engendrado a lo largo de años en los que sienten ficticiamente como el mundo les recuerda todas y cada una de las mermas físicas y psíquicas que padecen.

Los asesinos sexuales desembocan en una sórdida desesperación a fuerza de recibir reiteradas y supuestas acusaciones de impotencia por parte de su entorno más próximo. En ocasiones es cierto que son impotentes y eso los acompleja, pero en casi todas las oportunidades en las que son capaces de matar –erección y eyaculación– se convierten en una fatal cadena que previamente se ha iniciado con la visión de la sangre por parte del criminal.

En efecto, el derramamiento sanguíneo es la chispa detonante para que el psicópata consiga que su miembro viril salga de su hastío habitual. Por lo general los asesinos sexuales, dada su limitada condición fisiológica, ni siquiera consiguen penetrar a sus víctimas, casi siempre se masturban ante ellas esparciendo el semen por el cuerpo sin vida. Es como si intentaran dejar un particular sello de dominación sobre la persona masacrada.

El psicópata refuerza sus convicciones mutilando y comiendo a su presa, de esa manera se olvida por un momento de su problema. La impotencia, que no anula el deseo sexual sino que impide su realización, es un estado potencialmente peligroso y, no nos engañemos, amigos, ninguna fantasía sexual se puede comparar a la excitante vida real. Por tanto el psicópata sexual no se conforma con sus sueños lascivos y tiene una agobiante necesidad de experimentar por sí mismo todo aquello que imagina. Matar es para él motivo de liberación y apaciguamiento de su perturbada mente, pero este estado dura poco y el psicópata necesita volver a empezar su macabro ritual una y otra vez.

Andrei Romanovich nació en 1936 en una pequeña aldea de Ucrania. Por entonces la situación en la Unión Soviética era dramática, el dictador comunista Stalin llevaba a cabo una cruel purga entre los oficiales del ejército rojo. Miles de ellos fueron asesinados mientras el país se sumergía en un periodo de hambrunas y calamidades, los muertos se contaban por millones en las calles de pueblos y ciudades. Con frecuencia la falta de alimentos empujaba a la enloquecida población a realizar prácticas antropofágicas con sus vecinos más débiles. Y es que el asunto llegó a tal extremo que muchos rusos no se conformaron con ingerir cuerpos muertos y directamente asesinaron a hombres, mujeres y niños que proporcionaban carne en mejor estado. Estos actos de brutalidad humana también llegaron a la aldea donde nació el futuro Chikatilo. Según se cuenta, un primo y un hermano suyo fueron asesinados para ser devorados posteriormente por los hambrientos aldeanos. Esta historia marcó profundamente a la familia Romanovich. Sin embargo, lo que terminó por hundirla fue la entrada de la URSS en la Segunda Guerra Mundial cuando fue atacada por el ejército alemán en 1941. Por entonces Andrei apenas contaba cinco años de edad, pero siempre recordó la imagen de su padre marchando al frente de combate. Esa estampa orgullosa se trastocó seriamente cuando a la aldea llegó la noticia de que el soldado Romanovich había sido capturado por el enemigo. Como sabemos, Stalin tachó de traidores a todos aquellos militares que cobardemente se rindieron a los nazis sin haber luchado hasta morir.

Debido a esta paranoica forma de entender la guerra, millones de rusos tuvieron que soportar con humillante vergüenza el regreso a casa una vez finalizado el conflicto. El padre de Andrei fue uno de ellos, y con la etiqueta de cobarde y traidor tuvo que sumir desde entonces una gris existencia.

Andrei crecía muy pendiente de los acontecimientos familiares, la pérdida temprana de su hermano y la depresión de su padre comenzaron a perturbarlo. Su inteligencia no era excesiva y el miedo a la burla por parte de sus compañeros escolares lo obsesionaba. Por eso no es de extrañar que ocultara algunos problemas que iba teniendo; por ejemplo, se estuvo orinando en la

ПРАВДА

Общеполитическая газета КПСС

Заявление коллектива редакции «Правды»

Возвращение Президента СССР

УКАЗ

Заявление М. С. ГОРБАЧЕВА

по советскому телевидению 22 августа 1991 года

Москва, 19—22 августа

Pravda, diario oficial del partido comunista soviético que Andrei leía con avidez como una manera de afirmarse ante los demás, pensando que tal vez al demostrar su exacerbado sentimiento político sería respetado.

cama hasta los doce años. También se sabe que tuvo una miopía tremenda que le impedía ver normalmente; aun así, ocultó el hecho a fin de que sus amigos no le insultasen por llevar gafas. En ese sentido, no confesó esta anomalía visual hasta los treinta años.

Andrei se aferró al comunismo como medida de autodefensa, leía con fanática avidez *Pravda*, el diario oficial del partido comunista soviético. Era su particular manera de afirmación ante los demás, demostrándoles su exacerbado sentimiento político, sin duda sería respetado y lo dejarían en paz.

En el servicio militar soportó cientos de comentarios y bromas a cargo de sus compañeros de milicia. El tema siempre era el mismo: Andrei no conseguía el favor sexual de ninguna chica, todos se mofaron de él argumentando que su retraso mental iba en consonancia con su impotencia. En una ocasión Andrei abrazó a una presunta novia, el muchacho lo hizo con tal fuerza que llegó a incomodar a la joven, esta temerosa por lo que se veía venir, se zafó e intentó huir. El leve forcejeo provocó una eyaculación en Andrei el cual salió corriendo con evidentes muestras de sonrojo. Había sido su primera experiencia sexual.

Una vez hubo abandonado el ejército se empeñó en conseguir los estudios necesarios para poder trabajar como funcionario del Estado. Mientras tanto su hermana arregló para él un matrimonio de conveniencia con Fayina, hija de un modesto minero y no muy guapa la verdad. No obstante, serviría, según la hermana, como magnífica ama de casa. El enlace se celebró en 1963 y Andrei tuvo su primera erección de casado a la semana de su boda. Fayina contaría años más tarde que

Antigua foto familiar de Chikatilo y Fayina junto al mayor de sus dos hijos.

tan solo hizo el amor con su marido dos veces a lo largo de su vida marital, justo el mismo número de hijos que había tenido.

En 1971, con su recién estrenado diploma de maestro, consiguió un trabajo en un internado para niños. Fue imposible que Andrei consiguiera llevar con un mínimo orden las pautas educacionales de las clases que le iban asignando, siempre estuvo con niños y niñas de corta edad, y es aquí donde afloran al parecer los primeros brotes psicópatas en la personalidad de Chikatilo.

En mayo de 1973, según confesión posterior, agredió sexualmente a una niña mientras jugaba en una piscina pública. También en este periodo visitaba a escondidas los dormitorios donde vivían las niñas internas. La visión de estas en ropas menores lo excitaba de tal manera que llegaba a masturbarse con la mano metida en el bolsillo. Finalmente, llegó lo inevitable y Andrei decidió dar un paso más en su comportamiento enfermo. Había surgido en él la necesidad de matar, era un depredador dispuesto a satisfacer sin tapujos sus deseos más perversos.

En el año 1978 se hizo con una desvencijada cabaña en las afueras de Rostov, ciudad en la que vivía ahora como inspector de abastecimientos. Esta localidad de un millón de habitantes era centro de atracción para multitud de personas marginales que buscaban una oportunidad en aquel lugar industrial bañado por el río Don y muy cerca del mar de Azov. En consecuencia un enclave estratégico del sur de Rusia y casi fronterizo con Ucrania.

Andrei estaba prosperando, incluso la administración le había cedido un automóvil para sus recorridos laborales en un radio de cientos de kilómetros. Sin embargo, la mejora social y económica no alivió la enferma condición de un hombre cada vez más obsesionado con el sexo y los niños.

El 22 de diciembre de 1978 Andrei Romanovich cometió su primer asesinato reconocido. Se llamaba Lena Zakotnova, una niña de apenas nueve años a la que condujo engañada a la chavola con la promesa de ofrecerla unos bocadillos. Una vez en el interior de la casucha, desvistió con ferocidad a la pequeña que trató de resistirse sin resultado, todo empeoró cuando en el forcejeo Romanovich ocasionó una herida a su víctima por la que empezó a brotar la sangre. Fue entonces cuando Chikatilo sintió como el frenesí se apoderaba de su cerebro, sin más asió un enorme cuchillo con el que asestó treinta puñaladas al cuerpo de la pequeña hasta obtener el orgasmo. Todo había sucedido en pocos segundos, y los ojos de este especimen brillaron como nunca lo habían hecho. La bestia había derrotado al hombre y ya nada lo podría frenar en su éxtasis de locura y maldad.

Con sigilo sacó el cuerpo de Lena de la cabaña arrojándolo al río Don, dos días más tarde fue encontrado por la policía que comenzó las investigaciones rastreando las riberas hasta llegar a la cabaña de Romanovich. Una vez allí comprobaron como todavía quedaba un pequeño rastro de sangre. Sin embargo, Andrei no presentaba el perfil de un presunto infanticida, y la fortuna se alió momentáneamente con él cuando a los pocos días se apresó en la zona a otro psicópata sexual llamado Alexander Kravchenko, quien sería ejecutado por este crimen y por otros en 1981.

Chikatilo había salido indemne de su primer crimen, pero el miedo a ser detenido por las autoridades lo calmó durante un tiempo hasta que volvió a sentir la llamada de la muerte el 3 de septiembre de 1981. En esta ocasión la víctima fue una jovencita cuyo nombre era Larisa Tkachenko.

Con la promesa de invitarla a unos refrescos y luego quién sabe, la llevó hacia un paraje boscoso donde la estrangulo y más tarde mutiló salvajemente. Según contó en su confesión posterior, bailó en torno al cadáver de la muchacha una danza guerrera mientras aullaba como un lobo, se sentía un guerrillero de esos de los que tantas historias había escuchado en su niñez y ahora pretendía emular.

Andrei estaba más que trastornado, sin embargo, era capaz de mantener las apariencias de ciudadano ejemplar, buen esposo y amante de sus hijos.

En este libro hemos podido comprobar que esas constantes son habituales en los grandes psychokillers.

En 1982, Chikatilo –ese era su nombre de guerra– ya había matado a treinta personas, lo desconcertante para la policía es que entre las víctimas no existían vínculos directos o indirectos, eran de toda clase y condición: niños, mendigos, prostitutas..., personas que por un motivo u otro cayeron en las garras de este criminal, que cortaba cabezas, amputaba miembros y seccionaba arterias como si de un hábil cirujano se tratase. En sus macabros métodos mantenía pautas determinadas que hacían pensar a los investigadores que se encontraban ante la actuación de un enfermo mental. Por ejemplo, Chikatilo siempre extraía los globos oculares de sus víctimas, seguramente en el deseo de que no lo mirasen mientras él cometía sus atrocidades. También cortaba con precisión los órganos sexuales que ingería para mayor placer. Con sus propias palabras admitió que comenzaba el ritual mordisqueando los pezones de la víctima y acababa cortando la lengua en rebanadas, pero lo que le proporcionaba mayor gozo era extirpar el útero de las mujeres para morderlo: "eran tan hermosos y elásticos". En el caso de los hombres arrancaba los testículos a dentelladas y masticaba los penes como si se tratase de un perrito caliente. En fin queridos lectores, me están dando ganas de vomitar mientras repaso en lo que consistía el menú gastronómico de este descerebrado.

Pero sigamos con el relato, en 1984 el instituto Serbky de Moscú creó un comité de investigación para que diese con la pista de la Bestia de Rostov. Hasta entonces el único dato disponible era una muestra de semen recogida en el cadáver de una de las víctimas.

Según el análisis el esperma pertenecía al grupo sanguíneo AB. Cientos de policías se movilizaron para capturar al enemigo público número uno de la Unión Soviética, el cerco comenzó a estrecharse sobre la ciudad de Rostov.

En esos años se escrutaron las fichas policiales de más de 500.000 ciudadanos rusos que podrían cubrir el perfil diseñado por los especialistas. Según éstos se enfrentaban a un enfermo mental que camuflaba su dolencia bajo el aspecto de un hombre vulgar y corriente, con una familia normal y un trabajo rutinario. Un dato destacaba sobre los otros, y es que el candidato ideal debía por fuerza tener vehículo propio, sus víctimas se habían encontrado diseminadas por un radio de varias decenas de kilómetros en torno a Rostov. Eso daba unos 26.500 sospechosos en la ciudad y alrededores.

En una ocasión Chikatilo fue detenido en el mercado central de Rostov cuando intentaba ligar con algunas jovencitas. Su actitud y nerviosismo llamó la atención de unos agentes policiales que pidieron la documentación del posible sospechoso, también efectuaron un rápido análisis de sangre que dio como resultado que Romanovich tenía como grupo sanguíneo el A. Esto le descartaba como culpable, ya que el semen analizado por las autoridades era AB.

Entonces ¿se habían equivocado en el análisis del esperma? La explicación hoy en día es muy sencilla, y dieron con ella unos científicos japoneses, los cuales muy interesados en el caso de la Bestia habían elaborado un riguroso trabajo en el que se demostraba que en uno de cada diez mil casos el grupo sanguíneo del esperma no coincidía con el de la sangre. Por desgracia, Chikatilo era uno de esos casos excepcionales y estaba libre para seguir dejando su especial rastro de horror.

La policía intentaba por todos los medios dar con el culpable. En los archivos Andrei Romanovich figuraba como sospechoso número 9 sobre un total de 26.500; sin embargo, no existía nada que lo pudiera relacionar con los crímenes cometidos, solo esa ocasional detención en el mercado central donde descubrieron que en su maletín portaba un bote de vaselina, una cuerda y un cuchillo, era raro, pero no vinculante. El encuentro con la policía llenó de temor a la Bestia, durante dos años solo fue capaz de asesinar a dos personas, pero finalizando la década de los ochenta reanudó con mayor virulencia, esta vez, su terrorífica orgía de sexo y vísceras.

Por cierto, hay que decir que los intestinos humanos le gustaban mucho, más que cualquier otra parte de la anatomía, –mordisquear úteros estaba muy bien, pero un buen intestino grueso, eso sí que era un manjar–. Mientras tanto su mujer e hijos permanecían ajenos a los gustos culinarios del cabeza de familia.

En marzo de 1989 cortó la cabeza y piernas de Tanya Ryzhova, llevó los restos en un trineo por las calles de Rostov hasta la estación ferroviaria, uno de sus escenarios de actuación favoritos. Una vez allí embutió las cañerías con los menudillos y trozos de la joven y huyó a toda prisa.

La policía decidió escoger aquella estación como referencia en el caso de la Bestia, ya que se habían encontrado numerosos restos humanos en los alrededores de vías y andenes. Como si se tratase de una película más de 600 agentes masculinos y femeninos se disfrazaron para no levantar las sospechas del criminal. Unos se

Chikatilo es escoltado por la policía rusa.

vistieron con uniformes pertenecientes a diferentes oficios ferroviarios, taquilleros, factores, obreros. Algunas mujeres policías se adornaron y actuaron como las prostitutas de la zona, otros cogieron la botella de vodka y unos harapos para pasar inadvertidos como simples vagabundos. Parecía una auténtica representación teatral, cientos de ojos mirando por si la Bestia se dejaba caer por allí, pero durante meses los resultados fueron infructuosos. El mayor criminal de la Rusia contemporánea parecía haberse esfumado, no existían pruebas que lo pudiesen identificar y culpabilizar, nada hasta que una simple casualidad quiso que se cruzasen Andrei Romanovich y un modesto sargento de la policía local llamado Igor Rybakov. Sucedió el 6 de noviembre de 1990, en un lugar llamado Donlesjoz.

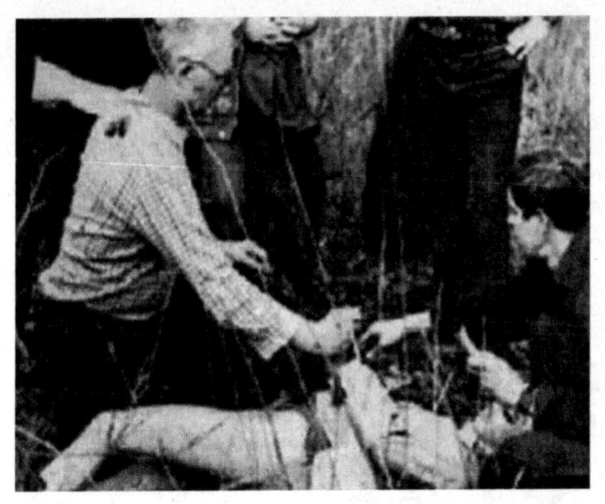

En esta vieja foto, puede verse a Chikatilo durante la reconstrucción de uno de sus crímenes.

En aquella mañana gélida, el suboficial se encontraba realizando una patrulla rutinaria por las inmediaciones de un bosquecillo próximo a la estación. Rybakov acababa de encenderse un cigarrillo cuando se percató de la presencia de un hombre trajeado y con corbata que salía de la zona boscosa con evidentes signos de nerviosismo y algo manchado por el barro. El veterano policía observó con curiosidad como el individuo se lavaba las manos en una fuente cercana, y con la intuición del sabueso, lo paró para pedirle la documentación. Tras examinar los papeles realizó un pequeño informe donde anotó la incidencia y el nombre de aquella persona: Andrei Romanovich.

A los pocos días en otra inspección rutinaria de aquel bosquecillo se encontró el cuerpo horriblemente

Para el juicio Chikatilo se rapó el pelo a cero. Todas las sesiones, en las cuales era encerrado en una jaula de acero rodeada de policías, fueron seguidas con sumo interés por todo Rusia.

mutilado de la joven Sveta Korostik, de inmediato el sargento Igor Rybakov recordó su encuentro con aquel extraño personaje y el nombre del mismo. Chikatilo había sido descubierto, la bestia de Rostov por fin tenía cara. El 20 de noviembre de 1990 fue detenido en su propio domicilio.

Al principio Romanovich lo negó todo, pero tengamos en cuenta que los métodos de la policía rusa no deben ser muy ortodoxos y al cabo de unos pocos días Chikatilo cantó en todos los idiomas posibles. Las luces intensas arropadas por preguntas pertinaces, terminaron por desmoronar el espíritu combativo de la Bestia. Primero dijo que era adicto a las revistas pornográficas, luego afirmó que los mendigos eran escoria a la que había que eliminar. Finalmente, confesó cincuenta y tres asesi-

Una de las escasas fotos de Chikatilo en su jaula durante uno de los juicios.

natos. Durante días orientó a la policía sobre los lugares y métodos elegidos para sus salvajes crímenes. En el fondo confiaba en ser respetado como cobaya humana digna de ser investigada por la ciencia, llegó incluso a ofrecerse con ese fin, pidiendo que se le diera una pensión y una vivienda a cambio de ser estudiado por los científicos. Hay que decir que no fueron pocas las universidades que se interesaron por él, incluso una institución japonesa llegó a ofrecer mucho dinero por su cerebro psicópata.

Chikatilo era una atracción de feria, su juicio fue seguido por miles de personas, se rapó el pelo al cero para asistir a las sesiones. En la sala lo encerraban en una jaula de metal que quedaba custodiada por una cuerda de policías y soldados. En una ocasión se despojó de su ropa y comenzó a proferir alaridos mientras meneaba su

Imagen de Chikatilo en su celda mientras esperaba la sentencia final del juico. En junio de 1993, en una entrevista dijo al periodista: "Dele recuerdos a mis amigos, a mis colegas, a todos los que conocí. Dígales que lo siento, que lo siento mucho...

pequeño pene. Con esta parafernalia lo único que pretendía era que lo considerasen un demente, pero no fue así. Los informes psiquiátricos confirmaron que Chikatilo siempre fue consciente de sus actos.

El 15 de octubre de 1992 Andrei Romanovich fue condenado a muerte. Mientras esperaba la pena capital, que por cierto, en Rusia nunca tiene fecha fija, puede ser en cualquier momento, concedió una curiosa entrevista en junio de 1993 que a parte de no aclarar mucho sobre lo que había hecho, terminó con unas desconcertantes palabras: "Dele recuerdos a mis amigos, mis colegas, a todos los que conocí. Dígales que lo siento, que lo siento mucho..."

El 14 de febrero de 1994 fue fusilado cumpliendo con la pena capital impuesta, los ejecutores dispararon con suma precisión a fin de evitar cualquier daño en el cerebelo de la Bestia de Rostov, una pieza codiciada por diferentes institutos psiquiátricos rusos. El mismo Chikatilo advirtió a los hombres de ciencia: "Mi cerebro tiene dos partes, una de ellas me anima a matar, la otra no, no debe ser muy difícil para ustedes saber cuál es cuál". Un año después de su ejecución alcanzó fama mundial gracias a la película *Ciudadano X* que contaba su patética historia.

Apéndice

LOS OTROS

No sería justo que terminase este libro, basado en la serie radiofónica Pasajes del Terror, sin mencionar a otros célebres psicokillers que protagonizaron algún capítulo de esta colección emitida en Onda Cero Radio.

Lo cierto es que los treinta y tres capítulos no tienen desperdicio. Uno de ellos, el dedicado a Jeffrey Dahmer el carnicero de Milwakee, tuvo que ser doble por la cantidad de barbaridades cometidas por este espécimen. También dos episodios se basaron en asesinas españolas; sin embargo, en este libro no he considerado oportuno incluirlas dado el cariz internacional del mismo y que estos casos hispanos se encuentran profusamente documentados en otras obras del género.

Por tanto la selección final abarca treinta expedientes: quince que usted ya ha leído y otros tantos que ofrezco en forma de escueta ficha a fin de que queden reflejados todos los que fueron.

Para terminar, deseo expresar mi más profundo agradecimiento a Lorenzo Fernández Bueno, amigo de muchos años.

Adolf Louis Luetgart

Estados Unidos de América, (1845 - 1899)

Número de víctimas: 1

Extracto de la confesión: *"Soy inocente, mi mujer me abandonó, y no sé nada más... En cuanto a lo de la sosa cáustica sencillamente necesitaba mucho detergente para limpiar mi fábrica de salchichas".*

Luetgart era un reconocido fabricante de salchichas en la ciudad de Chicago. Mujeriego empedernido, juerguista y maltratador, decidió acabar con su esposa de una forma poco sutil. Tras asesinarla la pasó por la trituradora de carne para finalmente hervirla en sosa cáustica y convertirla en jabón. La opinión pública tras conocer esta historia, provocó la caída en picado de la venta de salchichas.

Fue condenado a cadena perpetua en 1897, falleciendo en la cárcel dos años más tarde, víctima de un infarto al corazón.

Samuel Herbert Dougal

Reino Unido, (1846 - 1903)

Número de víctimas: 1- 3
Extracto de la confesión: *«Conduje a Camille hasta el lugar elegido, una vez allí le pegué un tiro en la cabeza y la enterré en aquella zanja de drenaje... Fue rápido y ella no sufrió... En el fondo Camille no soportaba mis curiosas aficiones... fue lo mejor para todos».*

Dougal fue un asesino que obedeció al perfil victoriano. Amante de las mujeres, sus excentricidades provocaron, a la postre, el descubrimiento del crimen de su última y enriquecida pareja. Tras solicitar en el juicio la comparecencia de todas las mujeres a las que había cortejado, fue sentenciado a morir en la horca.

Harvey Murray Glatman

Estados Unidos de América, (1926 - 1959)

Número de víctimas: 3

Extracto de la confesión: *"Sabía que esto iba a ocurrir"* (Cuando lo sentenciaron a la cámara de gas).

Glatman fue un asesino obsesionado por la belleza femenina, cuya fijación puede que viniera por su presunta fealdad. Se especializó en modelos, dada su afición a la fotografía. Durante dos años contactó con sus víctimas a través de los periódicos, asesinó a tres muchachas y violó a un número desconocido de ellas. Los especialistas diagnosticaron comportamiento sadomasoquista.

Geza de Kaplany
Estados Unidos de América, (1926)

Número de víctimas: 1
Extracto de la confesión: *«Quería despojarla de su belleza. Quería atemorizarla a modo de advertencia contra el adulterio».*

Conocido como «doctor ácido» decía estar poseído por un alter ego cuyo nombre era Pierre la Roche. Cuando este último se adueñaba de su mente le era difícil contener sus instintos primarios. Los celos y el miedo al adulterio lo empujaron al asesinato de su joven y bella esposa. Primero la cortó con un cuchillo carnicero para, posteriormente, verter sobre las heridas dosis letales de ácido sulfúrico. De esta manera, los ojos, pechos y genitales de la joven quedaron desechos de forma inmediata, la agonía se prolongó 33 días hasta que finalmente falleció. Kaplany se limitó a escribir una nota en la que decía: «Si quieres vivir: 1º No grites; 2º Haz lo que te diga; 3º Si no morirás».

El 15 de marzo de 1963, encerrado en San Quentin.

En 1975, después de 12 años en prisión, Kaplany salió bajo libertad provisional y en 1979 huyó a Alemania, donde se nacionalizó y se casó por segunda vez.

Charles Manson

Estados Unidos de América, (1934)

Número de víctimas: 33

Extracto de la confesión: *"Vosotros habéis hecho así a vuestros hijos... Vosotros les enseñásteis. Yo solo he tratado de ayudarlos a levantarse... Todo lo que han hecho estas criaturas lo han hecho por amor a sus hermanos... No puedes matar, matar... Si estás dispuesto a morir, debes estar dispuesto a matar".*

Manson es uno de los psicópatas más célebres de la historia. Fundador de una extraña secta llamada la Familia, se creyó poseedor de la verdad suprema utilizando como Biblia el Disco blanco de los Beatles. Mandó ejecutar sin piedad a muchas víctimas elegidas caprichosamente por él. Uno de los asesinatos múltiples más famosos de Norteamérica fue protagonizado por los acólitos de Manson, los cuales bajo los efectos del LSD asesinaron brutalmente a la embarazada Sharon Tate, mujer del director cinematográfico Roman Polansky, y a otras seis personas en una noche de locura infernal. En este caso llegó a intervenir Peter Hurkos, uno de los detectives psíquicos más eficaces de su época.

Fue sentenciado a muerte en 1969, pena conmutada por la de cadena perpetua que sigue cumpliendo en la actualidad. Manson ha pasado en total más de 50 años de su vida en la cárcel.

Henry Lee Lucas

Estados Unidos de América, (1937 - 1998)

Número de víctimas: 360 - 900. Es imposible de precisar.
Extracto de la confesión: *"Admitiendo todos esos asesinatos me sentí una estrella... me hacían entrevistas todos los días... tenía una celda muy cómoda, un televisor en color y tabaco a raudales... Por primera vez fui feliz... Era más famoso que Elvis Presley".*

Henry Lee Lucas protagoniza el caso más brumoso de la criminología moderna. Se autoinculpó de casi 1.000 asesinatos, convirtiéndose en el coladero de los casos sin resolver de las diferentes policías norteamericanas. Finalmente, tras confesar una auténtica masacre con salvajismo, antropofagia, mutilaciones y torturas, se arrepintió negándolo todo y confesando solo haber asesinado a su madre. En realidad nunca sabremos la verdad sobre este personaje.

Fue condenado a muerte en 1983, pena que fue conmutada por la de cadena perpetua en 1998, falleció meses más tarde.

Robert Hansen

Estados Unidos de América, (1939)

Número de víctimas: 17 comprobadas, posiblemente fueron más.
Extracto de la confesión: *"Para mí no existía ninguna diferencia entre cazar osos, cabras o mujeres… sentía en todos los casos la misma sensación de poder».*

El llamado depredador de Alaska era un supuesto y feliz panadero de Anchorage. Tenía dos aficiones, la caza y las prostitutas. Todo estalló cuando estos dos entretenimientos se mezclaron. Durante años secuestró mujeres para luego cazarlas como animales por los helados bosques de Alaska. Treinta o cuarenta consiguieron salvarse a cambio de favores sexuales gratuitos, otras, sin embargo, no tuvieron esa suerte.

En 1984 fue condenado a 461 años de cárcel.

Gary Michael Heidnik
Estados Unidos de América, (1943 - 1999)

Número de víctimas: 2 mujeres asesinadas y 4 atacadas sexualmente.
Extracto de la confesión: *"Yo tenía el derecho de exigir a esta sociedad que me diera una familia feliz... por eso busqué a esas mujeres... quería que me dieran muchos hijos para fundar un hogar"*.

Heidnik fundó una iglesia de la que él era sumo sacerdote. Su especialidad fue esclavizar, torturar y matar a mujeres negras con algún retraso mental, dedicadas en su mayoría a la prostitución. Las vejaciones, golpes y abusos de toda índole llegaron a grado extremo.

Fue condenado a muerte en 1988 y ejecutado por inyección letal en 1999.

Edmund Emil III Kemper

Estados Unidos de América, (1948 - 1978)

Número de víctimas: 10

Extracto de la confesión: *"Cuando veo a una muchacha bonita, un lado de mí dice: ¡Caramba!, qué chavala tan atractiva, me gustaría hablar con ella. La otra parte de mí dice: Me gustaría saber cómo quedaría su cabeza pinchada en un palo".*

Kemper medía más de dos metros, pesaba 120 kilos y tenía un cociente intelectual de 145. Fue sentenciado a muerte en 1973 por el asesinato en primer grado de ocho mujeres, previamente había matado a sus abuelos.

Su obsesión fue cortar las cabezas de sus víctimas demostrando en todos los casos un grado extremo de crueldad y sadismo con episodios necrofílicos y psicóticos.

Issei Sagawa
Japón, (1949)

Número de víctimas: 1
Extracto de la confesión: *"Palpé la cadera y me pregunté por donde empezaría a comérmela... Cogí un cuchillo y lo clavé dentro, corté un trocito y me lo metí directamente en la boca. No tenía olor ni sabor, y se me deshizo como si fuese sushi. ¡Al fin me estaba comiendo a una hermosa mujer blanca y pensé que no había nada más delicioso!"*.

Este famoso caníbal japonés obsesionado por la belleza de las mujeres blancas asesinó, en 1981 en París, a la joven estudiante holandesa René Hartevelt.

Durante varios días estuvo comiendo su cuerpo hasta que fue detenido.

En 1983 fue internado en una institución mental. Por un error médico se le diagnosticó una enfermedad terminal y fue enviado a Japón donde obtuvo la libertad cuatro años después.

Hoy en día es un autor literario reconocido en su país con varias obras dedicadas al canibalismo. Como él mismo reconoce: "soy un romántico fetichista".

Richard Chase

Estados Unidos de América, (1950 - 1979)

Número de víctimas: 6

Extracto de la confesión: «*Existe una conjura para asesinarme, están implicados mi madre, mi padre, Frank Sinatra, Hugo Hefner, la Mafia y los alemanes*".

El llamado «vampiro de Sacramento» sentía la necesidad de ingerir sangre animal y humana. Sufrió toda suerte de trastornos psíquicos que finalmente lo empujaron a cometer crímenes horribles donde predominó el sadismo y la antropofagia.

Fue sentenciado a muerte en 1978, falleció un año más tarde por sobredosis de medicamentos.

Ronald DeFeo

Estados Unidos de América, (1951)

Número de víctimas: 6

Extracto de la confesión: *"He matado a mi familia, lo he hecho en defensa propia porque ellos iban a matarme si no... desde hacía tiempo me sentía acosado por ellos... No me arrepiento de nada... me sentía Dios y nadie podía mandar sobre mí".*

El 12 de noviembre de 1974, el 112 deOcean Avenue en Amityville entraba en la historia del terror. Aquella casa fue testigo mudo o no, de los crímenes cometidos por Ronnie, alias Butch, un chico rebelde y vicioso que no dudó en matar a toda su familia sin motivos aparentes. La casa de Amityville se convertiría gracias al cine en uno de los lugares más embrujados de Norteamérica.

En 1975 fue condenado a 150 años de cárcel.

David Richard Berkowitz

Estados Unidos de América, (1953)

Número de víctimas: Atacó a 17, y mató a 7.
Extracto de la confesión: *"Los vi y justo al final decidí que debía hacerlo y acabar de una vez... Te sentías muy bien después de hacerlo... realmente es una gozada ir a la fuente de la sangre".*

El llamado hijo de Sam o asesino de calibre 44, afirmó que recibía las órdenes de matar del perro de su vecino, el cual, según Berkowitz, estaba poseído por un demonio milenario. Más tarde confesaría que todo era una invención suya para justificar sus crímenes. Sus principales víctimas fueron parejas y chicas bonitas, como él mismo decía «carne apetitosa».

Mató a 7 personas y atacó a 17 más, dejando a una inválida y a otra, ciega.

En 1977 fue condenado a 350 años de cárcel.

Louis Van Schoor

Sudáfrica, (1953)

Número de víctimas: Disparó a 101 personas y mató a 39 de ellas.
Extracto de la confesión: *"Créanme que disparé a ese individuo porque estaba huyendo de la escena del robo... solo quería herirle... y el motivo por el que recibió la bala en la frente fue porque corría de espaldas hacia atrás".*

Expolicía y vigilante jurado en los tiempos del apartheit sudafricano, Van Schoor tenía una rigurosa forma de aplicar la ley de su país, practicó el tiro al negro con sus balas Dum Dum y, finalmente, a pesar de la matanza provocada, tan solo le pudieron condenar por 5 asesinatos y 2 intentos frustrados. En los demás casos se entendió que había actuado correctamente en el cumplimiento de su deber.

En 1922 fue condenado a 20 años de cárcel.

Jeffrey L. Dahmer

Estados Unidos de América, (1960)

Número de víctimas: 15
Extracto de la confesión: *"Señor juez, todo ha terminado, me siento muy mal por lo que hice a esas pobres familias y comprendo su merecido odio… He hecho daño a mi padre, a mi madre y a mi madrastra. Los quiero mucho".*

El llamado carnicero de Milwakee es el ser antisocial por excelencia. Desvinculado de cualquier tipo de emociones, busca a sus víctimas en los ambientes homosexuales de Milwakee, tras ofrecerles dinero por sexo los conduce a su apartamento donde los narcotiza, mata, descuartiza y come con total impunidad. Duerme con los cadáveres, hace el amor y se baña con los cuerpos descompuestos.

Conserva fetiches de todos ellos: cabezas, torsos, manos, huesos blanqueados. Su mente es posiblemente la más trastornada del universo psicópata.

En 1992 fue condenado a 900 años de cárcel.

Bibliografía para saber más

COOKE, David J. *La psicopatía, el sadismo y el asesinato en serie*. Editorial Ariel. Barcelona, 2000

CYRIAX, Oliver. *Diccionario del Crimen*. Anaya & Mario Muchnik. Madrid, 1993

GARCÍA ANDRADE, José Antonio. *Psiquiatría criminal y forense*. Editorial Centro de Estudios Ramón Areces, S. A. Madrid, 1993

GARRIDO GENOVÉS, Vicente. *El psicópata*. Editorial Algar. Valencia, 2000

HARE, Robert D. *La psicopatía*. Editorial Herder. Barcelona, 1984

LANE, Brian. *Crímenes*. Editorial Altea, 1998

MARTINGALE, Moira. *Canibal killers: The History of impossible Murderers*. Carrol & Graf. Nueva York, 1994

MENDOZA, Antonio. *Killers on the loose*. Virgin. Londres, 2002

MONESTIER, Alain. *Grandes casos criminales.* Ediciones del Prado, 1992.

NEWTON, Michael. *The encyclopedia of serial killers.* Chekmark Books. Nueva York, 1999.

OWEN, David. *40 casos criminales y cómo consiguieron resolverse.* Evergreen, Köln, 2000

RAINE, Adrian; SANMARTÍN, José. *Violencia y psicopatía.* Editorial Ariel. Barcelona 2000.

Páginas web sobre asesinos

http://es.geocities.com/criminaleshistoria/mprincipal/menu.htm

http://www.archivodelcrimen.com

http://www.pasarmiedo.com

http://psychogenial.iespana.es/psicopatas.htm

http://www.klownsasesinos.com

http://www.asesinatoserial.net

http://www.adeguello.net

http://www.escalofrio.com

http://www.crimelibrary.com/serial_killers

http://www.asesinos-en-serie.com